P personnels

Tableaux des versements

De 1 an à 12 ans
De 500$ à 100 000$
De 3% à 20%

BENOIT SIGOUIN

C.P. 325, Succursale Rosemont
Montréal (Québec), Canada H1X 3B8
Téléphone: (514) 522-2244
Télécopieur: (514) 522-6301
Courrier électronique: pnadeau@edimag.com

Éditeur: Pierre Nadeau
Infographie: Echo International inc.

Dépôt légal: quatrième trimestre 2002
Bibliothèque nationale du Québec
Bibliothèque nationale du Canada

L'éditeur bénéficie du soutien de la Société de développe-
ment des entreprises culturelles du Québec (SODEC) pour
son programme d'édition.

C e petit livre se veut tellement pratique et simple, que j'ai décidé de tout résumer en trois exemples faciles.

1ER EXEMPLE

Étienne veut s'acheter l'automobile de ses rêves, il doit emprunter 30 000 $ à 8 % sur une période de 5 ans. Combien se chiffreront ses paiements mensuels.

RÉPONSE

Regardez à la page du taux 8 %, vis-à-vis la colonne 5ans et la ligne des 30 000 $, le montant à rembourser sera de 608.29 $.

2E EXEMPLE

Carlos aime voyager, il entreprend un voyage à travers le monde, il aura besoin d'emprunter la somme de 23 000 $ à 10 % d'intérêts sur une période de 10 ans.

RÉPONSE

Allez à la page du 10 %, vis-à-vis la colonne 10 ans et la ligne des 20 000 $ le montant est

Édimag inc. est membre de
l'Association nationale des éditeurs de livres.

DISTRIBUTEURS EXCLUSIFS

Pour le Canada et les États-Unis
Les Messageries ADP
955, rue Amherst
Montréal (Québec) H2L 3K4
Téléphone: (514) 523-1182
Télécopieur: (514) 939-0406

de 264.30 $. Il faut ajouter à ce montant, ce qu'on obtient en regardant la colonne 10 ans et la ligne 3 000 $, c'est-à-dire 39.65 $.

Donc, 264.30 + 39.65 = 303.95 $

3E EXEMPLE

Michel veut prendre le maximum de REER auquel il a droit cette année, il devra emprunter à sa banque une somme de 9 500 $. Combien lui faudra-t-il débourser par mois pour rembourser ce prêt, s'il veut le payer sur 3 ans à 10.25 % d'intérêts.

RÉPONSE
Regardez la page du 10.25 %, vis-à-vis la colonne 3 ans et la ligne des 9000 $, le montant est de 291.46 $. Il faut ajouter à ce montant, ce qu'on obtient en regardant la colonne 3 ans et la ligne 500 $, c'est-à-dire 16.19 $.

Donc, 291.46+16.19 = 307.65 $.

3%

Montant	NOMBRE D'ANNÉES					
	1	2	3	4	5	6
500	42.35	21.49	14.54	11.07	8.98	7.60
1000	84.69	42.98	29.08	22.13	17.97	15.19
2000	169.39	85.96	58.16	44.27	35.94	30.39
3000	254.08	128.94	87.24	66.40	53.91	45.58
4000	338.77	171.92	116.32	88.54	71.87	60.77
5000	423.47	214.91	145.41	110.67	89.84	75.97
6000	508.16	257.89	174.49	132.81	107.81	91.16
7000	592.86	300.87	203.57	154.94	125.78	106.36
8000	677.55	343.85	232.65	177.07	143.75	121.55
9000	762.24	386.83	261.73	199.21	161.72	136.74
10000	846.94	429.81	290.81	221.34	179.69	151.94
15000	1270.41	644.72	436.22	332.01	269.53	227.91
20000	1693.87	859.62	581.62	442.69	359.37	303.87
25000	2117.34	1074.53	727.03	553.36	449.22	379.84
30000	2540.81	1289.44	872.44	664.03	539.06	455.81
35000	2964.28	1504.34	1017.84	774.70	628.90	531.78
40000	3387.75	1719.25	1163.25	885.37	718.75	607.75
45000	3811.22	1934.15	1308.65	996.04	808.59	683.72
50000	4234.68	2149.06	1454.06	1106.72	898.43	759.68
60000	5081.62	2578.87	1744.87	1328.06	1078.12	911.62
70000	5928.56	3008.68	2035.68	1549.40	1257.81	1063.56
80000	6775.50	3438.50	2326.50	1770.75	1437.50	1215.49
90000	7622.43	3868.31	2617.31	1992.09	1617.18	1367.43
100000	8469.37	4298.12	2908.12	2213.43	1796.87	1519.37

Montant	NOMBRE D'ANNÉES					
	7	8	9	10	11	12
500	6.61	5.86	5.29	4.83	4.45	4.14
1000	13.21	11.73	10.58	9.66	8.90	8.28
2000	26.43	23.46	21.15	19.31	17.81	16.56
3000	39.64	35.19	31.73	28.97	26.71	24.83
4000	52.85	46.92	42.31	38.62	35.62	33.11
5000	66.07	58.65	52.88	48.28	44.52	41.39
6000	79.28	70.38	63.46	57.94	53.42	49.67
7000	92.49	82.11	74.04	67.59	62.33	57.95
8000	105.71	93.84	84.62	77.25	71.23	66.22
9000	118.92	105.57	95.19	86.90	80.13	74.50
10000	132.13	117.30	105.77	96.56	89.04	82.78
15000	198.20	175.94	158.65	144.84	133.56	124.17
20000	264.27	234.59	211.54	193.12	178.08	165.56
25000	330.33	293.24	264.42	241.40	222.59	206.95
30000	396.40	351.89	317.31	289.68	267.11	248.34
35000	462.47	410.54	370.19	337.96	311.63	289.73
40000	528.53	469.18	423.08	386.24	356.15	331.11
45000	594.60	527.83	475.96	434.52	400.67	372.50
50000	660.67	586.48	528.85	482.80	445.19	413.89
60000	792.80	703.77	634.62	579.36	534.23	496.67
70000	924.93	821.07	740.39	675.93	623.26	579.45
80000	1057.06	938.37	846.16	772.49	712.30	662.23
90000	1189.20	1055.66	951.92	869.05	801.34	745.01
100000	1321.33	1172.96	1057.69	965.61	890.38	827.79

3,25%

Montant	NOMBRE D'ANNÉES					
	1	2	3	4	5	6
500	42.40	21.55	14.60	11.12	9.04	7.65
1000	84.81	43.09	29.19	22.24	18.08	15.31
2000	169.62	86.18	58.38	44.49	36.16	30.61
3000	254.42	129.28	87.57	66.73	54.24	45.92
4000	339.23	172.37	116.77	88.98	72.32	61.22
5000	424.04	215.46	145.96	111.22	90.40	76.53
6000	508.85	258.55	175.15	133.47	108.48	91.83
7000	593.65	301.64	204.34	155.71	126.56	107.14
8000	678.46	344.74	233.53	177.96	144.64	122.45
9000	763.27	387.83	262.72	200.20	162.72	137.75
10000	848.08	430.92	291.92	222.45	180.80	153.06
15000	1272.11	646.38	437.87	333.67	271.20	229.59
20000	1696.15	861.84	583.83	444.90	361.60	306.12
25000	2120.19	1077.30	729.79	556.12	452.00	382.64
30000	2544.23	1292.76	875.75	667.35	542.40	459.17
35000	2968.27	1508.22	1021.70	778.57	632.80	535.70
40000	3392.30	1723.68	1167.66	889.80	723.20	612.23
45000	3816.34	1939.13	1313.62	1001.02	813.60	688.76
50000	4240.38	2154.59	1459.58	1112.25	904.00	765.29
60000	5088.46	2585.51	1751.49	1334.70	1084.80	918.35
70000	5936.53	3016.43	2043.41	1557.15	1265.60	1071.40
80000	6784.61	3447.35	2335.32	1779.60	1446.40	1224.46
90000	7632.69	3878.27	2627.24	2002.05	1627.20	1377.52
100000	8480.76	4309.19	2919.15	2224.50	1808.00	1530.58

3,25%

Montant	NOMBRE D'ANNÉES					
	7	8	9	10	11	12
500	6.66	5.92	5.35	4.89	4.51	4.20
1000	13.33	11.84	10.69	9.77	9.02	8.40
2000	26.65	23.69	21.38	19.54	18.04	16.79
3000	39.98	35.53	32.08	29.32	27.06	25.19
4000	53.31	47.37	42.77	39.09	36.08	33.58
5000	66.63	59.22	53.46	48.86	45.10	41.98
6000	79.96	71.06	64.15	58.63	54.12	50.37
7000	93.28	82.90	74.84	68.40	63.14	58.77
8000	106.61	94.75	85.53	78.18	72.16	67.17
9000	119.94	106.59	96.23	87.95	81.19	75.56
10000	133.26	118.43	106.92	97.72	90.21	83.96
15000	199.89	177.65	160.38	146.58	135.31	125.94
20000	266.53	236.87	213.84	195.44	180.41	167.91
25000	333.16	296.09	267.29	244.30	225.51	209.89
30000	399 79	355.30	320.75	293.16	270.62	251.87
35000	466.42	414.52	3/4.21	342.02	315.72	293.85
40000	533.05	473.74	427.67	390.88	360.82	335.83
45000	599.68	532.96	481.13	439.74	405.93	377.81
50000	666.31	592.17	534.59	488.60	451.03	419.78
60000	799.58	710.61	641.51	586.31	541.24	503.74
70000	932.84	829.04	748.43	684.03	631.44	587.70
80000	1066.10	947.48	855.34	781.75	721.65	671.66
90000	1199.36	1065.91	962.26	879.47	811.85	755.61
100000	1332.63	1184.35	1069.18	977.19	902.06	839.57

3,5%

Montant	NOMBRE D'ANNÉES					
	1	2	3	4	5	6
500	42.46	21.60	14.65	11.18	9.10	7.71
1000	84.92	43.20	29.30	22.36	18.19	15.42
2000	169.84	86.41	58.60	44.71	36.38	30.84
3000	254.76	129.61	87.91	67.07	54.58	46.26
4000	339.69	172.81	117.21	89.42	72.77	61.67
5000	424.61	216.01	146.51	111.78	90.96	77.09
6000	509.53	259.22	175.81	134.14	109.15	92.51
7000	594.45	302.42	205.11	156.49	127.34	107.93
8000	679.37	345.62	234.42	178.85	145.53	123.35
9000	764.29	388.82	263.72	201.20	163.73	138.77
10000	849.22	432.03	293.02	223.56	181.92	154.18
15000	1273.82	648.04	439.53	335.34	272.88	231.28
20000	1698.43	864.05	586.04	447.12	363.83	308.37
25000	2123.04	1080.07	732.55	558.90	454.79	385.46
30000	2547.65	1296.08	879.06	670.68	545.75	462.55
35000	2972.26	1512.10	1025.57	782.46	636.71	539.64
40000	3396.87	1728.11	1172.08	894.24	727.67	616.74
45000	3821.47	1944.12	1318.59	1006.02	818.63	693.83
50000	4246.08	2160.14	1465.10	1117.80	909.59	770.92
60000	5095.30	2592.16	1758.12	1341.36	1091.50	925.10
70000	5944.51	3024.19	2051.15	1564.92	1273.42	1079.29
80000	6793.73	3456.22	2344.17	1788.48	1455.34	1233.47
90000	7642.95	3888.24	2637.19	2012.04	1637.26	1387.66
100000	8492.16	4320.27	2930.21	2235.60	1819.17	1541.84

Montant	NOMBRE D'ANNÉES					
7	8	9	10	11	12	
500	6.72	5.98	5.40	4.94	4.57	4.26
1000	13.44	11.96	10.81	9.89	9.14	8.51
2000	26.88	23.92	21.61	19.78	18.28	17.03
3000	40.32	35.87	32.42	29.67	27.42	25.54
4000	53.76	47.83	43.23	39.55	36.55	34.06
5000	67.20	59.79	54.04	49.44	45.69	42.57
6000	80.64	71.75	64.84	59.33	54.83	51.09
7000	94.08	83.71	75.65	69.22	63.97	59.60
8000	107.52	95.66	86.46	79.11	73.11	68.12
9000	120.96	107.62	97.27	89.00	82.25	76.63
10000	134.40	119.58	108.07	98.89	91.38	85.15
15000	201.60	179.37	162.11	148.33	137.08	127.72
20000	268.80	239.16	216.15	197.77	182.77	170.29
25000	336.00	298.95	270.19	247.21	228.46	212.86
30000	403.20	358.74	324.22	296.66	274.15	255.44
35000	470.39	418.53	378.26	346.10	319.84	298.01
40000	537.59	478.32	432.30	395.54	365.53	340.58
45000	604.79	538.11	486.33	444.99	411.23	383.15
50000	671.99	597.90	540.37	494.43	456.92	425.73
60000	806.39	717.48	648.44	593.32	548.30	510.87
70000	940.79	837.06	756.52	692.20	639.68	596.02
80000	1075.19	956.64	864.59	791.09	731.07	681.16
90000	1209.59	1076.22	972.67	889.97	822.45	766.31
100000	1343.99	1195.81	1080.74	988.86	913.83	851.45

3,75%

Montant	NOMBRE D'ANNÉES					
	1	2	3	4	5	6
500	42.52	21.66	14.71	11.23	9.15	7.77
1000	85.04	43.31	29.41	22.47	18.30	15.53
2000	170.07	86.63	58.83	44.93	36.61	31.06
3000	255.11	129.94	88.24	67.40	54.91	46.59
4000	340.14	173.25	117.65	89.87	73.22	62.13
5000	425.18	216.57	147.06	112.34	91.52	77.66
6000	510.21	259.88	176.48	134.80	109.82	93.19
7000	595.25	303.20	205.89	157.27	128.13	108.72
8000	680.29	346.51	235.30	179.74	146.43	124.25
9000	765.32	389.82	264.72	202.21	164.74	139.78
10000	850.36	433.14	294.13	224.67	183.04	155.32
15000	1275.54	649.71	441.19	337.01	274.56	232.97
20000	1700.71	866.27	588.26	449.35	366.08	310.63
25000	2125.89	1082.84	735.32	561.68	457.60	388.29
30000	2551.07	1299.41	882.39	674.02	549.12	465.95
35000	2976.25	1515.98	1029.45	786.36	640.64	543.60
40000	3401.43	1732.55	1176.52	898.69	732.16	621.26
45000	3826.61	1949.12	1323.58	1011.03	823.68	698.92
50000	4251.79	2165.69	1470.65	1123.37	915.20	776.58
60000	5102.14	2598.82	1764.77	1348.04	1098.24	931.89
70000	5952.50	3031.96	2058.90	1572.71	1281.27	1087.21
80000	6802.86	3465.10	2353.03	1797.39	1464.31	1242.52
90000	7653.22	3898.24	2647.16	2022.06	1647.35	1397.84
100000	8503.57	4331.37	2941.29	2246.74	1830.39	1553.15

3,75%

Montant	NOMBRE D'ANNÉES					
	7	8	9	10	11	12
500	6.78	6.04	5.46	5.00	4.63	4.32
1000	13.55	12.07	10.92	10.01	9.26	8.63
2000	27.11	24.15	21.85	20.01	18.51	17.27
3000	40.66	36.22	32.77	30.02	27.77	25.90
4000	54 22	48.29	43.70	40.02	37.03	34.54
5000	67.77	60.37	54.62	50.03	46.29	43.17
6000	81.32	72.44	65.54	60.04	55.54	51.81
7000	94.88	84.51	76.47	70.04	64.80	60.44
8000	108.43	96.59	87.39	80.05	74.06	69.08
9000	121.99	108.66	98.31	90.06	83.31	77.71
10000	135.54	120.73	109.24	100.06	92.57	86.34
15000	203.31	181.10	163.86	150.09	138.86	129.52
20000	271.08	241.47	218.48	200.12	185.14	172.69
25000	338.85	301.83	273.10	250.15	231.43	215.86
30000	406.62	362.20	327.71	300.18	277.71	259.03
35000	474.39	422.57	382.33	350.21	324.00	302.20
40000	542.16	482.93	436.95	400.24	370.28	345.38
45000	609.93	543.30	491.57	450.28	416.57	388.55
50000	677.70	603.67	546.19	500.31	462.85	431.72
60000	813.24	724.40	655.43	600.37	555.42	518.06
70000	948.78	845.13	764.67	700.43	647.99	604.41
80000	1084.32	965.87	873.90	800.49	740.56	690.75
90000	1219.86	1086.60	983.14	900.55	833.13	777.10
100000	1355.40	1207.33	1092.38	1000.61	925.70	863.44

Montant	NOMBRE D'ANNÉES					
	1	2	3	4	5	6
500	42.57	21.71	14.76	11.29	9.21	7.82
1000	85.15	43.42	29.52	22.58	18.42	15.65
2000	170.30	86.85	59.05	45.16	36.83	31.29
3000	255.45	130.27	88.57	67.74	55.25	46.94
4000	340.60	173.70	118.10	90.32	73.67	62.58
5000	425.75	217.12	147.62	112.90	92.08	78.23
6000	510.90	260.55	177.14	135.47	110.50	93.87
7000	596.05	303.97	206.67	158.05	128.92	109.52
8000	681.20	347.40	236.19	180.63	147.33	125.16
9000	766.35	390.82	265.72	203.21	165.75	140.81
10000	851.50	434.25	295.24	225.79	184.17	156.45
15000	1277.25	651.37	442.86	338.69	276.25	234.68
20000	1703.00	868.50	590.48	451.58	368.33	312.90
25000	2128.75	1085.62	738.10	564.48	460.41	391.13
30000	2554.50	1302.75	885.72	677.37	552.50	469.36
35000	2980.25	1519.87	1033.34	790.27	644.58	547.58
40000	3406.00	1737.00	1180.96	903.16	736.66	625.81
45000	3831.75	1954.12	1328.58	1016.06	828.74	704.03
50000	4257.50	2171.25	1476.20	1128.95	920.83	782.26
60000	5108.99	2605.50	1771.44	1354.74	1104.99	938.71
70000	5960.49	3039.74	2066.68	1580.53	1289.16	1095.16
80000	6811.99	3473.99	2361.92	1806.32	1473.32	1251.61
90000	7663.49	3908.24	2657.16	2032.11	1657.49	1408.07
100000	8514.99	4342.49	2952.40	2257.91	1841.65	1564.52

Montant	NOMBRE D'ANNÉES					
	7	8	9	10	11	12
500	6.83	6.09	5.52	5.06	4.69	4.38
1000	13.67	12.19	11.04	10.12	9.38	8.76
2000	27.34	24.38	22.08	20.25	18.75	17.51
3000	41.01	36.57	33.12	30.37	28.13	26.27
4000	54.68	48.76	44.16	40.50	37.51	35.02
5000	68.34	60.95	55.20	50.62	46.88	43.78
6000	82.01	73.14	66.25	60.75	56.26	52.53
7000	95.68	85.32	77.29	70.87	65.64	61.29
8000	109.35	97.51	88.33	81.00	75.01	70.04
9000	123.02	109.70	99.37	91.12	84.39	78.80
10000	136.69	121.89	110.41	101.25	93.77	87.55
15000	205.03	182.84	165.61	151.87	140.65	131.33
20000	273.38	243.79	220.82	202.49	187.53	175.11
25000	341.72	304.73	276.02	253.11	234.42	218.88
30000	410.06	365.68	331.23	303.74	281.30	262.66
35000	478.41	426.62	386.43	354.36	328.18	306.43
40000	546.75	487.57	441.64	404.98	375.07	350.21
45000	615.10	548.52	496.84	455.60	421.95	393.99
50000	683.44	609.46	552.05	506.23	468.83	437.76
60000	820.13	731.36	662.46	607.47	562.60	525.32
70000	956.82	853.25	772.87	708.72	656.37	612.87
80000	1093.50	975.14	883.28	809.96	750.13	700.42
90000	1230.19	1097.03	993.69	911.21	843.90	787.98
100000	1366.88	1218.93	1104.10	1012.45	937.67	875.53

4,25%

Montant	NOMBRE D'ANNÉES					
	1	2	3	4	5	6
500	42.63	21.77	14.82	11.35	9.26	7.88
1000	85.26	43.54	29.64	22.69	18.53	15.76
2000	170.53	87.07	59.27	45.38	37.06	31.52
3000	255.79	130.61	88.91	68.07	55.59	47.28
4000	341.06	174.15	118.54	90.76	74.12	63.04
5000	426.32	217.68	148.18	113.46	92.65	78.80
6000	511.59	261.22	177.81	136.15	111.18	94.56
7000	596.85	304.75	207.45	158.84	129.71	110.32
8000	682.11	348.29	237.08	181.53	148.24	126.07
9000	767.38	391.83	266.72	204.22	166.77	141.83
10000	852.64	435.36	296.35	226.91	185.30	157.59
15000	1278.96	653.04	444.53	340.37	277.94	236.39
20000	1705.28	870.73	592.71	453.82	370.59	315.19
25000	2131.60	1088.41	740.88	567.28	463.24	393.98
30000	2557.93	1306.09	889.06	680.73	555.89	472.78
35000	2984.25	1523.77	1037.24	794.19	648.53	551.58
40000	3410.57	1741.45	1185.41	907.64	741.18	630.37
45000	3836.89	1959.13	1333.59	1021.10	833.83	709.17
50000	4263.21	2176.81	1481.77	1134.55	926.48	787.97
60000	5115.85	2612.18	1778.12	1361.47	1111.77	945.56
70000	5968.49	3047.54	2074.47	1588.38	1297.07	1103.15
80000	6821.13	3482.90	2370.83	1815.29	1482.36	1260.75
90000	7673.78	3918.27	2667.18	2042.20	1667.66	1418.34
100000	8526.42	4353.63	2963.53	2269.11	1852.96	1575.93

Montant	NOMBRE D'ANNÉES					
	7	8	9	10	11	12
500	6.89	6.15	5.58	5.12	4.75	4.44
1000	13.78	12.31	11.16	10.24	9.50	8.88
2000	27.57	24.61	22.32	20.49	18.99	17.75
3000	41.35	36.92	33.48	30.73	28.49	26.63
4000	55.14	49.22	44.64	40.98	37.99	35.51
5000	68.92	61.53	55.79	51.22	47.49	44.39
6000	82.71	73.84	66.95	61.46	56.98	53.26
7000	96.49	86.14	78.11	71.71	66.48	62.14
8000	110.27	98.45	89.27	81.95	75.98	71.02
9000	124.06	110.75	100.43	92.19	85.48	79.89
10000	137.84	123.06	111.59	102.44	94.97	88.77
15000	206.76	184.59	167.38	153.66	142.46	133.16
20000	275.68	246.12	223.18	204.88	189.94	177.54
25000	344.60	307.65	278.97	256.09	237.43	221.93
30000	413.53	369.18	334.77	307.31	284.92	266.32
35000	482.45	430.71	390.56	358.53	332.40	310.70
40000	551.37	492.24	446.36	409.75	379.89	355.09
45000	620.29	553.77	502.15	460.97	427.38	399.47
50000	689.21	615.30	557.94	512.19	474.86	443.86
60000	827.05	738.35	669.53	614.63	569.83	532.63
70000	964.89	861.41	781.12	717.06	664.81	621.40
80000	1102.73	984.47	892.71	819.50	759.78	710.17
90000	1240.58	1107.53	1004.30	921.94	854.75	798.95
100000	1378.42	1230.59	1115.89	1024.38	949.72	887.72

Montant	NOMBRE D'ANNÉES					
	1	2	3	4	5	6
500	42.69	21.82	14.87	11.40	9.32	7.94
1000	85.38	43.65	29.75	22.80	18.64	15.87
2000	170.76	87.30	59.49	45.61	37.29	31.75
3000	256.14	130.94	89.24	68.41	55.93	47.62
4000	341.51	174.59	118.99	91.21	74.57	63.50
5000	426.89	218.24	148.73	114.02	93.22	79.37
6000	512.27	261.89	178.48	136.82	111.86	95.24
7000	597.65	305.53	208.23	159.62	130.50	111.12
8000	683.03	349.18	237.98	182.43	149.14	126.99
9000	768.41	392.83	267.72	205.23	167.79	142.87
10000	853.79	436.48	297.47	228.03	186.43	158.74
15000	1280.68	654.72	446.20	342.05	279.65	238.11
20000	1707.57	872.96	594.94	456.07	372.86	317.48
25000	2134.46	1091.20	743.67	570.09	466.08	396.85
30000	2561.36	1309.43	892.41	684.10	559.29	476.22
35000	2988.25	1527.67	1041.14	798.12	652.51	555.59
40000	3415.14	1745.91	1189.88	912.14	745.72	634.96
45000	3842.03	1964.15	1338.61	1026.16	838.94	714.33
50000	4268.93	2182.39	1487.35	1140.17	932.15	793.70
60000	5122.71	2618.87	1784.82	1368.21	1118.58	952.44
70000	5976.50	3055.35	2082.28	1596.24	1305.01	1111.18
80000	6830.28	3491.82	2379.75	1824.28	1491.44	1269.92
90000	7684.07	3928.30	2677.22	2052.31	1677.87	1428.66
100000	8537.85	4364.78	2974.69	2280.35	1864.30	1587.40

Montant	NOMBRE D'ANNÉES					
	7	8	9	10	11	12
500	6.95	6.21	5.64	5.18	4.81	4.50
1000	13.90	12.42	11.28	10.36	9.62	9.00
2000	27.80	24.85	22.56	20.73	19.24	18.00
3000	41.70	37.27	33.83	31.09	28.86	27.00
4000	55.60	49.69	45.11	41.46	38.47	36.00
5000	69.50	62.12	56.39	51.82	48.09	45.00
6000	83.40	74.54	67.67	62.18	57.71	54.00
7000	97.30	86.96	78.94	72.55	67.33	63.00
8000	111.20	99.39	90.22	82.91	76.95	72.00
9000	125.10	111.81	101.50	93.27	86.57	81.00
10000	139.00	124.23	112.78	103.64	96.19	90.00
15000	208.50	186.35	169.16	155.46	144.28	135.00
20000	278.00	248.46	225.55	207.28	192.37	180.00
25000	347.50	310.58	281.94	259.10	240.47	225.00
30000	417.00	372.70	338.33	310.92	288.56	270.00
35000	486.51	434.81	394.72	362.73	336.66	315.00
40000	556.01	496.93	451.10	414.55	384.75	360.00
45000	625.51	559.05	507.49	466.37	432.84	405.00
50000	695.01	621.16	563.88	518.19	480.94	450.00
60000	834.01	745.39	676.66	621.83	577.12	540.00
70000	973.01	869.63	789.43	725.47	673.31	630.01
80000	1112.01	993.86	902.21	829.11	769.50	720.01
90000	1251.01	1118.09	1014.98	932.75	865.69	810.01
100000	1390.02	1242.32	1127.76	1036.38	961.87	900.01

4,75%

Montant	NOMBRE D'ANNÉES					
	1	2	3	4	5	6
500	42.75	21.88	14.93	11.46	9.38	7.99
1000	85.49	43.76	29.86	22.92	18.76	15.99
2000	170.99	87.52	59.72	45.83	37.51	31.98
3000	256.48	131.28	89.58	68.75	56.27	47.97
4000	341.97	175.04	119.44	91.66	75.03	63.96
5000	427.46	218.80	149.29	114.58	93.78	79.95
6000	512.96	262.56	179.15	137.50	112.54	95.94
7000	598.45	306.32	209.01	160.41	131.30	111.92
8000	683.94	350.08	238.87	183.33	150.06	127.91
9000	769.44	393.84	268.73	206.25	168.81	143.90
10000	854.93	437.60	298.59	229.16	187.57	159.89
15000	1282.39	656.39	447.88	343.74	281.35	239.84
20000	1709.86	875.19	597.18	458.32	375.14	319.78
25000	2137.32	1093.99	746.47	572.91	468.92	399.73
30000	2564.79	1312.79	895.76	687.49	562.71	479.68
35000	2992.25	1531.58	1045.06	802.07	656.49	559.62
40000	3419.72	1750.38	1194.35	916.65	750.28	639.57
45000	3847.18	1969.18	1343.65	1031.23	844.06	719.52
50000	4274.65	2187.98	1492.94	1145.81	937.85	799.46
60000	5129.58	2625.57	1791.53	1374.97	1125.41	959.35
70000	5984.51	3063.17	2090.11	1604.14	1312.98	1119.25
80000	6839.44	3500.76	2388.70	1833.30	1500.55	1279.14
90000	7694.37	3938.36	2687.29	2062.46	1688.12	1439.03
100000	8549.30	4375.95	2985.88	2291.62	1875.69	1598.92

4,75%

Montant	NOMBRE D'ANNÉES					
	7	8	9	10	11	12
500	7.01	6.27	5.70	5.24	4.87	4.56
1000	14.02	12.54	11.40	10.48	9.74	9.12
2000	28.03	25.08	22.79	20.97	19.48	18.25
3000	42.05	37.62	34.19	31.45	29.22	27.37
4000	56.07	50.16	45.59	41.94	38.96	36.50
5000	70.08	62.71	56.99	52.42	48.71	45.62
6000	84.10	75.25	68.38	62.91	58.45	54.74
7000	98.12	87.79	79.78	73.39	68.19	63.87
8000	112.13	100.33	91.18	83.88	77.93	72.99
9000	126.15	112.87	102.57	94.36	87.67	82.12
10000	140.17	125.41	113.97	104.85	97.41	91.24
15000	210.25	188.12	170.96	157.27	146.12	136.86
20000	280.33	250.82	227.94	209.70	194.82	182.48
25000	350.42	313.53	284.93	262.12	243.53	228.10
30000	420.50	376.24	341.91	314.54	292.23	273.72
35000	490.59	438.94	398.90	366.97	340.94	319.34
40000	560.67	501.65	455.88	419.39	389.65	364.96
45000	630.75	564.36	512.87	471.81	438.35	410.58
50000	700.84	627.06	569.85	524.24	487.06	456.20
60000	841.00	752.47	683.82	629.09	584.47	547.44
70000	981.17	877.89	797.79	733.93	681.88	638.68
80000	1121.34	1003.30	911.76	838.78	779.29	729.92
90000	1261.51	1128.71	1025.73	943.63	876.70	821.16
100000	1401.67	1254.12	1139.71	1048.48	974.11	912.40

5%

Montant	NOMBRE D'ANNÉES					
	1	2	3	4	5	6
500	42.80	21.94	14.99	11.51	9.44	8.05
1000	85.61	43.87	29.97	23.03	18.87	16.10
2000	171.21	87.74	59.94	46.06	37.74	32.21
3000	256.82	131.61	89.91	69.09	56.61	48.31
4000	342.43	175.49	119.88	92.12	75.48	64.42
5000	428.04	219.36	149.85	115.15	94.36	80.52
6000	513.64	263.23	179.83	138.18	113.23	96.63
7000	599.25	307.10	209.80	161.21	132.10	112.73
8000	684.86	350.97	239.77	184.23	150.97	128.84
9000	770.47	394.84	269.74	207.26	169.84	144.94
10000	856.07	438.71	299.71	230.29	188.71	161.05
15000	1284.11	658.07	449.56	345.44	283.07	241.57
20000	1712.15	877.43	599.42	460.59	377.42	322.10
25000	2140.19	1096.78	749.27	575.73	471.78	402.62
30000	2568.22	1316.14	899.13	690.88	566.14	483.15
35000	2996.26	1535.50	1048.98	806.03	660.49	563.67
40000	3424.30	1754.86	1198.84	921.17	754.85	644.20
45000	3852.34	1974.21	1348.69	1036.32	849.21	724.72
50000	4280.37	2193.57	1498.54	1151.46	943.56	805.25
60000	5136.45	2632.28	1798.25	1381.76	1132.27	966.30
70000	5992.52	3071.00	2097.96	1612.05	1320.99	1127.35
80000	6848.60	3509.71	2397.67	1842.34	1509.70	1288.39
90000	7704.67	3948.43	2697.38	2072.64	1698.41	1449.44
100000	8560.75	4387.14	2997.09	2302.93	1887.12	1610.49

Montant	NOMBRE D'ANNÉES					
	7	8	9	10	11	12
500	7.07	6.33	5.76	5.30	4.93	4.62
1000	14.13	12.66	11.52	10.61	9.86	9.25
2000	28.27	25.32	23.03	21.21	19.73	18.50
3000	42.40	37.98	34.55	31.82	29.59	27.75
4000	56.54	50.64	46.07	42.43	39.46	37.00
5000	70.67	63.30	57.59	53.03	49.32	46.24
6000	84.80	75.96	69.10	63.64	59.19	55.49
7000	98.94	88.62	80.62	74.25	69.05	64.74
8000	113.07	101.28	92.14	84.85	78.92	73.99
9000	127.21	113.94	103.66	95.46	88.78	83.24
10000	141.34	126.60	115.17	106.07	98.64	92.49
15000	212.01	189.90	172.76	159.10	147.97	138.73
20000	282.68	253.20	230.35	212.13	197.29	184.98
25000	353.35	316.50	287.93	265.16	246.61	231.22
30000	424.02	379.80	345.52	318.20	295.93	277.47
35000	494.69	443.10	403.10	371.23	345.26	323.71
40000	565.36	506.40	460.69	424.26	394.58	369.96
45000	636.03	569.70	518.28	477.29	443.90	416.20
50000	706.70	633.00	575.86	530.33	493.22	462.45
60000	848.03	759.60	691.04	636.39	591.87	554.93
70000	989.37	886.19	806.21	742.46	690.51	647.42
80000	1130.71	1012.79	921.38	848.52	789.16	739.91
90000	1272.05	1139.39	1036.55	954.59	887.80	832.40
100000	1413.39	1265.99	1151.73	1060.66	986.45	924.89

5,25%

Montant	NOMBRE D'ANNÉES					
	1	2	3	4	5	6
500	42.86	21.99	15.04	11.57	9.49	8.11
1000	85.72	43.98	30.08	23.14	18.99	16.22
2000	171.44	87.97	60.17	46.29	37.97	32.44
3000	257.17	131.95	90.25	69.43	56.96	48.66
4000	342.89	175.93	120.33	92.57	75.94	64.88
5000	428.61	219.92	150.42	115.71	94.93	81.11
6000	514.33	263.90	180.50	138.86	113.92	97.33
7000	600.05	307.88	210.58	162.00	132.90	113.55
8000	685.78	351.87	240.67	185.14	151.89	129.77
9000	771.50	395.85	270.75	208.28	170.87	145.99
10000	857.22	439.83	300.83	231.43	189.86	162.21
15000	1285.83	659.75	451.25	347.14	284.79	243.32
20000	1714.44	879.67	601.67	462.85	379.72	324.42
25000	2143.05	1099.59	752.08	578.57	474.65	405.53
30000	2571.66	1319.50	902.50	694.28	569.58	486.63
35000	3000.27	1539.42	1052.91	809.99	664.51	567.74
40000	3428.88	1759.34	1203.33	925.71	759.44	648.85
45000	3857.49	1979.25	1353.75	1041.42	854.37	729.95
50000	4286.10	2199.17	1504.16	1157.14	949.30	811.06
60000	5143.33	2639.01	1805.00	1388.56	1139.16	973.27
70000	6000.55	3078.84	2105.83	1619.99	1329.02	1135.48
80000	6857.77	3518.67	2406.66	1851.42	1518.88	1297.69
90000	7714.99	3958.51	2707.49	2082.84	1708.74	1459.90
100000	8572.21	4398.34	3008.33	2314.27	1898.60	1622.12

5,25%

Montant	NOMBRE D'ANNÉES					
	7	8	9	10	11	12
500	7.13	6.39	5.82	5.36	4.99	4.69
1000	14.25	12.78	11.64	10.73	9.99	9.37
2000	28.50	25.56	23.28	21.46	19.98	18.75
3000	42.76	38.34	34.91	32.19	29.97	28.12
4000	57.01	51.12	46.55	42.92	39.96	37.50
5000	71.26	63.90	58 19	53.65	49.94	46.87
6000	85.51	76.68	69.83	64.38	59.93	56.25
7000	99.76	89.45	81.47	75.10	69.92	65.62
8000	114.01	102.23	93.11	85.83	79.91	75.00
9000	128.27	115.01	104.74	96.56	89.90	84.37
10000	142.52	127.79	116.38	107.29	99.89	93.75
15000	213.78	191.69	174.57	160.94	149.83	140.62
20000	285.03	255.59	232.77	214.58	199.78	187.50
25000	356.29	319.48	290.96	268.23	249.72	234.37
30000	427.55	383.38	349.15	321.88	299.66	281.24
35000	498.81	447.27	407.34	375.52	349.61	328.12
40000	570.07	511.17	465.53	429.17	399.55	374.99
45000	641.33	575.07	523.72	482.81	449.49	421.87
50000	712.58	638.96	581.91	536.46	499.44	468.74
60000	855.10	766.76	698.30	643.75	599.33	562.49
70000	997.62	894.55	814.68	751.04	699.21	656.24
80000	1140.13	1022.34	931.06	858.33	799.10	749.99
90000	1282.65	1150.14	1047.44	965.63	898.99	843.73
100000	1425.17	1277.93	1163.83	1072.92	998.88	937.48

5,5%

Montant	NOMBRE D'ANNÉES					
	1	2	3	4	5	6
500	42.92	22.05	15.10	11.63	9.55	8.17
1000	85.84	44.10	30.20	23.26	19.10	16.34
2000	171.67	88.19	60.39	46.51	38.20	32.68
3000	257.51	132.29	90.59	69.77	57.30	49.01
4000	343.35	176.38	120.78	93.03	76.40	65.35
5000	429.18	220.48	150.98	116.28	95.51	81.69
6000	515.02	264.57	181.18	139.54	114.61	98.03
7000	600.86	308.67	211.37	162.80	133.71	114.37
8000	686.69	352.77	241.57	186.05	152.81	130.70
9000	772.53	396.86	271.76	209.31	171.91	147.04
10000	858.37	440.96	301.96	232.56	191.01	163.38
15000	1287.55	661.43	452.94	348.85	286.52	245.07
20000	1716.74	881.91	603.92	465.13	382.02	326.76
25000	2145.92	1102.39	754.90	581.41	477.53	408.45
30000	2575.10	1322.87	905.88	697.69	573.03	490.14
35000	3004.29	1543.35	1056.86	813.98	668.54	571.83
40000	3433.47	1763.83	1207.84	930.26	764.05	653.52
45000	3862.66	1984.30	1358.82	1046.54	859.55	735.20
50000	4291.84	2204.78	1509.80	1162.82	955.06	816.89
60000	5150.21	2645.74	1811.75	1395.39	1146.07	980.27
70000	6008.57	3086.70	2113.71	1627.95	1337.08	1143.65
80000	6866.94	3527.65	2415.67	1860.52	1528.09	1307.03
90000	7725.31	3968.61	2717.63	2093.08	1719.10	1470.41
100000	8583.68	4409.57	3019.59	2325.65	1910.12	1633.79

5,5%

Montant	NOMBRE D'ANNÉES					
	7	8	9	10	11	12
500	7.19	6.45	5.88	5.43	5.06	4.75
1000	14.37	12.90	11.76	10.85	10.11	9.50
2000	28.74	25.80	23.52	21.71	20.23	19.00
3000	43.11	38.70	35.28	32.56	30.34	28.51
4000	57.48	51.60	47.04	43.41	40.46	38.01
5000	71.85	64.50	58.80	54.26	50.57	47.51
6000	86.22	77.40	70.56	65.12	60.68	57 01
7000	100.59	90.30	82.32	75.97	70.80	66.51
8000	114.96	103.19	94.08	86.82	80.91	76.01
9000	129.33	116.09	105.84	97.67	91.03	85.52
10000	143.70	128.99	117.60	108.53	101.14	95.02
15000	215.55	193.49	176.40	162.79	151.71	142.53
20000	287.40	257.99	235.20	217.05	202.28	190.03
25000	359.25	322.48	294.00	271.32	252.85	237 54
30000	431.10	386.98	352.80	325.58	303.42	285.05
35000	502.95	451.48	411.60	379.84	353.99	332.56
40000	574.80	515.97	470.40	434.11	404.56	380.07
45000	646.65	580.47	529.20	488.37	455.13	427.58
50000	718.50	644.97	588.00	542.63	505.70	475.09
60000	862.20	773.96	705.60	651.16	606.84	570.10
70000	1005.90	902.95	823.20	759.68	707.98	665.12
80000	1149.60	1031.95	940.80	868.21	809.11	760.14
90000	1293.30	1160.94	1058.40	976.74	910.25	855.15
100000	1437.00	1289.93	1176.00	1085.26	1011.39	950.17

5,75%

Montant	NOMBRE D'ANNÉES					
	1	2	3	4	5	6
500	42.98	22.10	15.15	11.69	9.61	8.23
1000	85.95	44.21	30.31	23.37	19.22	16.46
2000	171.90	88.42	60.62	46.74	38.43	32.91
3000	257.85	132.62	90.93	70.11	57.65	49.37
4000	343.81	176.83	121.24	93.48	76.87	65.82
5000	429.76	221.04	151.54	116.85	96.08	82.28
6000	515.71	265.25	181.85	140.22	115.30	98.73
7000	601.66	309.46	212.16	163.59	134.52	115.19
8000	687.61	353.66	242.47	186.96	153.73	131.64
9000	773.56	397.87	272.78	210.34	172.95	148.10
10000	859.52	442.08	303.09	233.71	192.17	164.55
15000	1289.27	663.12	454.63	350.56	288.25	246.83
20000	1719.03	884.16	606.18	467.41	384.34	329.10
25000	2148.79	1105.20	757.72	584.26	480.42	411.38
30000	2578.55	1326.24	909.26	701.12	576.50	493.65
35000	3008.30	1547.28	1060.81	817.97	672.59	575.93
40000	3438.06	1768.32	1212.35	934.82	768.67	658.21
45000	3867.82	1989.36	1363.90	1051.68	864.75	740.48
50000	4297.58	2210.40	1515.44	1168.53	960.84	822.76
60000	5157.09	2652.48	1818.53	1402.23	1153.01	987.31
70000	6016.61	3094.56	2121.62	1635.94	1345.17	1151.86
80000	6876.13	3536.64	2424.70	1869.65	1537.34	1316.41
90000	7735.64	3978.72	2727.79	2103.35	1729.51	1480.96
100000	8595.16	4420.80	3030.88	2337.06	1921.68	1645.51

5,75%

Montant	NOMBRE D'ANNÉES					
	7	8	9	10	11	12
500	7.24	6.51	5.94	5.49	5.12	4.81
1000	14.49	13.02	11.88	10.98	10.24	9.63
2000	28.98	26.04	23.76	21.95	20.48	19.26
3000	43.47	39.06	35.65	32.93	30.72	28.89
4000	57.96	52.08	47.53	43.91	40.96	38.52
5000	72.45	65.10	59.41	54.88	51.20	48.15
6000	86.93	78.12	71.29	65.86	61.44	57.78
7000	101.42	91.14	83.18	76.84	71.68	67.41
8000	115.91	104.16	95.06	87.82	81.92	77.04
9000	130.40	117.18	106.94	98.79	92.16	86.67
10000	144.89	130.20	118.82	109.77	102.40	96.30
15000	217.34	195.30	178.24	164.65	153.60	144.44
20000	289.78	260.40	237.65	219.54	204.80	192.59
25000	362.23	325.50	297.06	274.42	256.00	240.74
30000	434.67	390.60	356.47	329.31	307.20	288.89
35000	507.12	455.70	415.89	384.19	358.40	337.04
40000	579.56	520.80	475.30	439.08	409.60	385.18
45000	652.01	585.90	534.71	493.96	460.80	433.33
50000	724.45	651.00	594.12	548.85	512.00	481.48
60000	869.34	781.20	712.95	658.62	614.40	577.78
70000	1014.23	911.40	831.77	768.38	716.80	674.07
80000	1159.12	1041.60	950.60	878.15	819.20	770.37
90000	1304.01	1171.80	1069.42	987.92	921.60	866.67
100000	1448.90	1302.00	1188.25	1097.69	1024.00	962.96

6%

Montant	NOMBRE D'ANNÉES					
	1	2	3	4	5	6
500	43.03	22.16	15.21	11.74	9.67	8.29
1000	86.07	44.32	30.42	23.49	19.33	16.57
2000	172.13	88.64	60.84	46.97	38.67	33.15
3000	258.20	132.96	91.27	70.46	58.00	49.72
4000	344.27	177.28	121.69	93.94	77.33	66.29
5000	430.33	221.60	152.11	117.43	96.66	82.86
6000	516.40	265.92	182.53	140.91	116.00	99.44
7000	602.47	310.24	212.95	164.40	135.33	116.01
8000	688.53	354.56	243.38	187.88	154.66	132.58
9000	774.60	398.89	273.80	211.37	174.00	149.16
10000	860.66	443.21	304.22	234.85	193.33	165.73
15000	1291.00	664.81	456.33	352.28	289.99	248.59
20000	1721.33	886.41	608.44	469.70	386.66	331.46
25000	2151.66	1108.02	760.55	587.13	483.32	414.32
30000	2581.99	1329.62	912.66	704.55	579.98	497.19
35000	3012.33	1551.22	1064.77	821.98	676.65	580.05
40000	3442.66	1772.82	1216.88	939.40	773.31	662.92
45000	3872.99	1994.43	1368.99	1056.83	869.98	745.78
50000	4303.32	2216.03	1521.10	1174.25	966.64	828.64
60000	5163.99	2659.24	1825.32	1409.10	1159.97	994.37
70000	6024.65	3102.44	2129.54	1643.95	1353.30	1160.10
80000	6885.31	3545.65	2433.75	1878.80	1546.62	1325.83
90000	7745.98	3988.85	2737.97	2113.65	1739.95	1491.56
100000	8606.64	4432.06	3042.19	2348.50	1933.28	1657.29

Montant	NOMBRE D'ANNÉES					
	7	8	9	10	11	12
500	7.30	6.57	6.00	5.55	5.18	4.88
1000	14.61	13.14	12.01	11.10	10.37	9.76
2000	29.22	26.28	24.01	22.20	20.73	19.52
3000	43.83	39.42	36.02	33.31	31.10	29.28
4000	58.43	52.57	48.02	44.41	41.47	39.03
5000	73.04	65.71	60.03	55.51	51.84	48.79
6000	87.65	78.85	72.03	66.61	62.20	58.55
7000	102.26	91.99	84.04	77.71	72.57	68.31
8000	116.87	105.13	96.05	88.82	82.94	78.07
9000	131.48	118.27	108.05	99.92	93.30	87.83
10000	146.09	131.41	120.06	111.02	103.67	97.59
15000	219.13	197.12	180.09	166.53	155.51	146.38
20000	292.17	262.83	240.11	222.04	207.34	195.17
25000	365.21	328.54	300.14	277.55	259.18	243.96
30000	438.26	394.24	360.17	333.06	311.01	292.76
35000	511.30	459.95	420.20	388.57	362.85	341.55
40000	584.34	525.66	480.23	444.08	414.68	390.34
45000	657.38	591.36	540.26	499.59	466.52	439.13
50000	730.43	657.07	600.29	555.10	518.35	487.93
60000	876.51	788.49	720.34	666.12	622.02	585.51
70000	1022.60	919.90	840.40	777.14	725.69	683.10
80000	1168.68	1051.31	960.46	888.16	829.36	780.68
90000	1314.77	1182.73	1080.52	999.18	933.03	878.27
100000	1460.86	1314.14	1200.57	1110.21	1036.70	975.85

6,25%

Montant	NOMBRE D'ANNÉES					
	1	2	3	4	5	6
500	43.09	22.22	15.27	11.80	9.72	8.35
1000	86.18	44.43	30.54	23.60	19.45	16.69
2000	172.36	88.87	61.07	47.20	38.90	33.38
3000	258.54	133.30	91.61	70.80	58.35	50.07
4000	344.73	177.73	122.14	94.40	77.80	66.76
5000	430.91	222.17	152.68	118.00	97.25	83.46
6000	517.09	266.60	183.21	141.60	116.70	100.15
7000	603.27	311.03	213.75	165.20	136.14	116.84
8000	689.45	355.47	244.28	188.80	155.59	133.53
9000	775.63	399.90	274.82	212.40	175.04	150.22
10000	861.81	444.33	305.35	236.00	194.49	166.91
15000	1292.72	666.50	458.03	354.00	291.74	250.37
20000	1723.63	888.67	610.71	472.00	388.99	333.82
25000	2154.53	1110.83	763.38	590.00	486.23	417.28
30000	2585.44	1333.00	916.06	707.99	583.48	500.73
35000	3016.35	1555.17	1068.74	825.99	680.72	584.19
40000	3447.26	1777.33	1221.41	943.99	777.97	667.65
45000	3878.16	1999.50	1374.09	1061.99	875.22	751.10
50000	4309.07	2221.67	1526.77	1179.99	972.46	834.56
60000	5170.88	2666.00	1832.12	1415.99	1166.96	1001.47
70000	6032.70	3110.33	2137.47	1651.99	1361.45	1168.38
80000	6894.51	3554.67	2442.83	1887.99	1555.94	1335.29
90000	7756.32	3999.00	2748.18	2123.98	1750.43	1502.20
100000	8618.14	4443.33	3053.53	2359.98	1944.93	1669.12

Montant	NOMBRE D'ANNÉES					
	7	8	9	10	11	12
500	7.36	6.63	6.06	5.61	5.25	4.94
1000	14.73	13.26	12.13	11.23	10.49	9.89
2000	29.46	26.53	24.26	22.46	20.99	19.78
3000	44.19	39.79	36.39	33.68	31.48	29.67
4000	58.91	53.05	48.52	44.91	41.98	39.55
5000	73.64	66.32	60.65	56.14	52.47	49.44
6000	88.37	79.58	72.78	67.37	62.97	59.33
7000	103.10	92.84	84.91	78.60	73.46	69.22
8000	117.83	106.11	97.04	89.82	83.96	79.11
9000	132.56	119.37	109.17	101.05	94.45	89.00
10000	147.29	132.63	121.30	112.28	104.95	98.88
15000	220.93	198.95	181.95	168.42	157.42	148.33
20000	294.57	265.27	242.60	224.56	209.90	197.77
25000	368.22	331.59	303.24	280.70	262.37	247.21
30000	441.86	397.90	363.89	336.84	314.85	296.65
35000	515.50	464.22	424.54	392.98	367.32	346.09
40000	589.15	530.54	485.19	449.12	419.80	395.53
45000	662.79	596.86	545.84	505.26	472.27	444.98
50000	736.43	663.17	606.49	561.40	524.75	494.42
60000	883.72	795.81	727.79	673.68	629.70	593.30
70000	1031.01	928.44	849.08	785.96	734.65	692.19
80000	1178.30	1061.08	970.38	898.24	839.60	791.07
90000	1325.58	1193.71	1091.68	1010.52	944.55	889.95
100000	1472.87	1326.35	1212.98	1122.80	1049.49	988.84

6,5%

Montant	NOMBRE D'ANNÉES					
	1	2	3	4	5	6
500	43.15	22.27	15.32	11.86	9.78	8.40
1000	86.30	44.55	30.65	23.71	19.57	16.81
2000	172.59	89.09	61.30	47.43	39.13	33.62
3000	258.89	133.64	91.95	71.14	58.70	50.43
4000	345.19	178.19	122.60	94.86	78.26	67.24
5000	431.48	222.73	153.25	118.57	97.83	84.05
6000	517.78	267.28	183.89	142.29	117.40	100.86
7000	604.07	311.82	214.54	166.00	136.96	117.67
8000	690.37	356.37	245.19	189.72	156.53	134.48
9000	776.67	400.92	275.84	213.43	176.10	151.29
10000	862.96	445.46	306.49	237.15	195.66	168.10
15000	1294.45	668.19	459.74	355.72	293.49	252.15
20000	1725.93	890.93	612.98	474.30	391.32	336.20
25000	2157.41	1113.66	766.23	592.87	489.15	420.25
30000	2588.89	1336.39	919.47	711.45	586.98	504.30
35000	3020.37	1559.12	1072.72	830.02	684.82	588.35
40000	3451.86	1781.85	1225.96	948.60	782.65	672.40
45000	3883.34	2004.58	1379.21	1067.17	880.48	756.45
50000	4314.82	2227.31	1532.45	1185.75	978.31	840.50
60000	5177.79	2672.78	1838.94	1422.90	1173.97	1008.60
70000	6040.75	3118.24	2145.43	1660.05	1369.63	1176.70
80000	6903.71	3563.70	2451.92	1897.20	1565.29	1344.79
90000	7766.68	4009.16	2758.41	2134.35	1760.95	1512.89
100000	8629.64	4454.63	3064.90	2371.50	1956.61	1680.99

6,5%

Montant	NOMBRE D'ANNÉES					
	7	8	9	10	11	12
500	7.42	6.69	6.13	5.68	5.31	5.01
1000	14.85	13.39	12.25	11.35	10.62	10.02
2000	29.70	26.77	24.51	22.71	21.25	20.04
3000	44.55	40.16	36.76	34.06	31.87	30.06
4000	59.40	53.54	49.02	45.42	42.50	40.08
5000	74.25	66.93	61.27	56.77	53.12	50.10
6000	89.10	80.32	73.53	68.13	63.74	60.12
7000	103.95	93.70	85.78	79.48	74.37	70.13
8000	118.80	107.09	98.04	90.84	84.99	80.15
9000	133.64	120.48	110.29	102.19	95.61	90.17
10000	148.49	133.86	122.55	113.55	106.24	100.19
15000	222.74	200.79	183.82	170.32	159.36	150.29
20000	296.99	267.72	245.09	227.10	212.48	200.38
25000	371.24	334.66	306.36	283.87	265.59	250.48
30000	445.48	401.59	367.64	340.64	318.71	300.58
35000	519.73	468.52	428.91	397.42	371.83	350.67
40000	593.98	535.45	490.18	454.19	424.95	400.77
45000	668.22	602.38	551.45	510.97	478.07	450.86
50000	742.47	669.31	612.73	567.74	531.19	500.96
60000	890.97	803.17	735.27	681.29	637.43	601.15
70000	1039.46	937.04	857.82	794.84	743.66	701.34
80000	1187.95	1070.90	980.36	908.38	849.90	801.54
90000	1336.45	1204.76	1102.91	1021.93	956.14	901.73
100000	1484.94	1338.62	1225.45	1135.48	1062.38	1001.92

6,75%

Montant	NOMBRE D'ANNÉES					
	1	2	3	4	5	6
500	43.21	22.33	15.38	11.92	9.84	8.46
1000	86.41	44.66	30.76	23.83	19.68	16.93
2000	172.82	89.32	61.53	47.66	39.37	33.86
3000	259.23	133.98	92.29	71.49	59.05	50.79
4000	345.65	178.64	123.05	95.32	78.73	67.72
5000	432.06	223.30	153.81	119.15	98.42	84.65
6000	518.47	267.96	184.58	142.98	118.10	101.58
7000	604.88	312.62	215.34	166.81	137.78	118.50
8000	691.29	357.27	246.10	190.64	157.47	135.43
9000	777.70	401.93	276.87	214.47	177.15	152.36
10000	864.12	446.59	307.63	238.30	196.83	169.29
15000	1296.17	669.89	461.44	357.46	295.25	253.94
20000	1728.23	893.19	615.26	476.61	393.67	338.58
25000	2160.29	1116.48	769.07	595.76	492.09	423.23
30000	2592.35	1339.78	922.89	714.91	590.50	507.88
35000	3024.40	1563.08	1076.70	834.06	688.92	592.52
40000	3456.46	1786.37	1230.52	953.22	787.34	677.17
45000	3888.52	2009.67	1384.33	1072.37	885.76	761.81
50000	4320.58	2232.97	1538.15	1191.52	984.17	846.46
60000	5184.69	2679.56	1845.78	1429.83	1181.01	1015.75
70000	6048.81	3126.15	2153.40	1668.13	1377.84	1185.04
80000	6912.92	3572.75	2461.03	1906.43	1574.68	1354.34
90000	7777.04	4019.34	2768.66	2144.74	1771.51	1523.63
100000	8641.15	4465.93	3076.29	2383.04	1968.35	1692.92

6,75%

Montant	NOMBRE D'ANNÉES					
	7	8	9	10	11	12
500	7.49	6.75	6.19	5.74	5.38	5.08
1000	14.97	13.51	12.38	11.48	10.75	10.15
2000	29.94	27.02	24.76	22.96	21.51	20.30
3000	44.91	40.53	37.14	34.45	32.26	30.45
4000	59.88	54.04	49.52	45.93	43.01	40.60
5000	74.85	67.55	61.90	57.41	53.77	50.76
6000	89.82	81.06	74.28	68.89	64.52	60.91
7000	104.80	94.57	86.66	80.38	75.27	71.06
8000	119.77	108.08	99.04	91.86	86.03	81.21
9000	134.74	121.59	111.42	103.34	96.78	91.36
10000	149.71	135.10	123.80	114.82	107.53	101.51
15000	224.56	202.64	185.70	172.24	161.30	152.27
20000	299.42	270.19	247.60	229.65	215.07	203.02
25000	374.27	337.74	309.50	287.06	268.84	253.70
30000	449.12	405.29	371.40	344.47	322.60	304.53
35000	523.98	472.84	433.30	401.88	376.37	355.29
40000	598.83	540.39	495.20	459.30	430.14	406.04
45000	673.68	607.93	557.10	516.71	483.91	456.80
50000	748.54	675.48	619.00	574.12	537.67	507.55
60000	898.25	810.58	742.80	688.94	645.21	609.06
70000	1047.95	945.67	866.60	803.77	752.74	710.57
80000	1197.66	1080.77	990.40	918.59	860.28	812.08
90000	1347.37	1215.87	1114.20	1033.42	967.81	913.59
100000	1497.08	1350.96	1238.00	1148.24	1075.35	1015.10

7%

Montant	NOMBRE D'ANNÉES					
	1	2	3	4	5	6
500	43.26	22.39	15.44	11.97	9.90	8.52
1000	86.53	44.77	30.88	23.95	19.80	17.05
2000	173.05	89.55	61.75	47.89	39.60	34.10
3000	259.58	134.32	92.63	71.84	59.40	51.15
4000	346.11	179.09	123.51	95.78	79.20	68.20
5000	432.63	223.86	154.39	119.73	99.01	85.25
6000	519.16	268.64	185.26	143.68	118.81	102.29
7000	605.69	313.41	216.14	167.62	138.61	119.34
8000	692.21	358.18	247.02	191.57	158.41	136.39
9000	778.74	402.95	277.89	215.52	178.21	153.44
10000	865.27	447.73	308.77	239.46	198.01	170.49
15000	1297.90	671.59	463.16	359.19	297.02	255.74
20000	1730.53	895.45	617.54	478.92	396.02	340.98
25000	2163.17	1119.31	771.93	598.66	495.03	426.23
30000	2595.80	1343.18	926.31	718.39	594.04	511.47
35000	3028.44	1567.04	1080.70	838.12	693.04	596.72
40000	3461.07	1790.90	1235.08	957.85	792.05	681.96
45000	3893.70	2014.77	1389.47	1077.58	891.05	767.21
50000	4326.34	2238.63	1543.85	1197.31	990.06	852.45
60000	5191.60	2686.35	1852.63	1436.77	1188.07	1022.94
70000	6056.87	3134.08	2161.40	1676.24	1386.08	1193.43
80000	6922.14	3581.81	2470.17	1915.70	1584.10	1363.92
90000	7787.41	4029.53	2778.94	2155.16	1782.11	1534.41
100000	8652.67	4477.26	3087.71	2394.62	1980.12	1704.90

7%

Montant	NOMBRE D'ANNÉES					
	7	8	9	10	11	12
500	7.55	6.82	6.25	5.81	5.44	5.14
1000	15.09	13.63	12.51	11.61	10.88	10.28
2000	30.19	27.27	25.01	23.22	21.77	20.57
3000	45.28	40.90	37.52	34.83	32.65	30.85
4000	60.37	54.53	50.03	46.44	43.54	41.14
5000	75.46	68.17	62.53	58.05	54.42	51.42
6000	90.56	81.80	75.04	69.67	65.30	61.70
7000	105.65	95.44	87.54	81.28	76.19	71.99
8000	120.74	109.07	100.05	92.89	87.07	82.27
9000	135.83	122.70	112.56	104.50	97.96	92.55
10000	150.93	136.34	125.06	116.11	108.84	102.84
15000	226.39	204.51	187.59	174.16	163.26	154.26
20000	301.85	272.67	250.13	232.22	217.68	205.68
25000	377.32	340.84	312.66	290.27	272.10	257.10
30000	452.78	409.01	375.19	348.33	326.52	308.51
35000	528.24	477.18	437.72	406.38	380.94	359.93
40000	603.71	545.35	500.25	464.43	435.36	411.35
45000	679.17	613.52	562.78	522.49	489.78	462.77
50000	754.63	681.69	625.31	580.54	544.21	514.19
60000	905.56	818.02	750.38	696.65	653.05	617.03
70000	1056.49	954.36	875.44	812.76	761.89	719.87
80000	1207.41	1090.70	1000.50	928.87	870.73	822.70
90000	1358.34	1227.03	1125.56	1044.98	979.57	925.54
100000	1509.27	1363.37	1250.63	1161.08	1088.41	1028.38

7,25%

Montant	NOMBRE D'ANNÉES					
	1	2	3	4	5	6
500	43.32	22.44	15.50	12.03	9.96	8.58
1000	86.64	44.89	30.99	24.06	19.92	17.17
2000	173.28	89.77	61.98	48.12	39.84	34.34
3000	259.93	134.66	92.97	72.19	59.76	51.51
4000	346.57	179.54	123.97	96.25	79.68	68.68
5000	433.21	224.43	154.96	120.31	99.60	85.85
6000	519.85	269.32	185.95	144.37	119.52	103.02
7000	606.49	314.20	216.94	168.44	139.44	120.19
8000	693.14	359.09	247.93	192.50	159.35	137.35
9000	779.78	403.97	278.92	216.56	179.27	154.52
10000	866.42	448.86	309.92	240.62	199.19	171.69
15000	1299.63	673.29	464.87	360.94	298.79	257.54
20000	1732.84	897.72	619.83	481.25	398.39	343.39
25000	2166.05	1122.15	774.79	601.56	497.98	429.23
30000	2599.26	1346.58	929.75	721.87	597.58	515.08
35000	3032.47	1571.01	1084.70	842.18	697.18	600.93
40000	3465.68	1795.44	1239.66	962.50	796.77	686.77
45000	3898.89	2019.87	1394.62	1082.81	896.37	772.62
50000	4332.10	2244.30	1549.58	1203.12	995.97	858.47
60000	5198.52	2693.16	1859.49	1443.74	1195.16	1030.16
70000	6064.94	3142.02	2169.41	1684.37	1394.36	1201.85
80000	6931.36	3590.88	2479.32	1924.99	1593.55	1373.54
90000	7797.78	4039.74	2789.24	2165.62	1792.74	1545.24
100000	8664.20	4488.60	3099.15	2406.24	1991.94	1716.93

7,25%

Montant	NOMBRE D'ANNÉES					
	7	8	9	10	11	12
500	7.61	6.88	6.32	5.87	5.51	5.21
1000	15.22	13.76	12.63	11.74	11.02	10.42
2000	30.43	27.52	25.27	23.48	22.03	20.84
3000	45.65	41.28	37.90	35.22	33.05	31.25
4000	60.86	55.03	50.53	46.96	44.06	41.67
5000	76.08	68.79	63.17	58.70	55.08	52.09
6000	91.29	82.55	75.80	70.44	66.09	62.51
7000	106.51	96.31	88.43	82.18	77.11	72.92
8000	121.72	110.07	101.07	93.92	88.12	83.34
9000	136.94	123.83	113.70	105.66	99.14	93.76
10000	152.15	137.58	126.33	117.40	110.16	104.18
15000	228.23	206.38	189.50	176.10	165.23	156.26
20000	304.30	275.17	252.67	234.80	220.31	208.35
25000	380.38	343.96	315.83	293.50	275.39	260.44
30000	456.46	412.75	379.00	352.20	330.47	312.53
35000	532.53	481.55	442.16	410.90	385.55	364.61
40000	608.61	550.34	505.33	469.60	440.62	416.70
45000	684.68	619.13	568.50	528.30	495.70	468.79
50000	760.76	687.92	631.66	587.01	550.78	520.88
60000	912.91	825.51	758.00	704.41	660.94	625.05
70000	1065.06	963.09	884.33	821.81	771.09	729.23
80000	1217.21	1100.68	1010.66	939.21	881.25	833.40
90000	1369.37	1238.26	1136.99	1056.61	991.40	937.58
100000	1521.52	1375.85	1263.33	1174.01	1101.56	1041.76

7,5%

Montant	NOMBRE D'ANNÉES					
	1	2	3	4	5	6
500	43.38	22.50	15.55	12.09	10.02	8.65
1000	86.76	45.00	31.11	24.18	20.04	17.29
2000	173.51	90.00	62.21	48.36	40.08	34.58
3000	260.27	135.00	93.32	72.54	60.11	51.87
4000	347.03	180.00	124.42	96.72	80.15	69.16
5000	433.79	225.00	155.53	120.89	100.19	86.45
6000	520.54	270.00	186.64	145.07	120.23	103.74
7000	607.30	315.00	217.74	169.25	140.27	121.03
8000	694.06	360.00	248.85	193.43	160.30	138.32
9000	780.82	405.00	279.96	217.61	180.34	155.61
10000	867.57	450.00	311.06	241.79	200.38	172.90
15000	1301.36	674.99	466.59	362.68	300.57	259.35
20000	1735.15	899.99	622.12	483.58	400.76	345.80
25000	2168.94	1124.99	777.66	604.47	500.95	432.25
30000	2602.72	1349.99	933.19	725.37	601.14	518.70
35000	3036.51	1574.99	1088.72	846.26	701.33	605.15
40000	3470.30	1799.98	1244.25	967.16	801.52	691.60
45000	3904.08	2024.98	1399.78	1088.05	901.71	778.06
50000	4337.87	2249.98	1555.31	1208.95	1001.90	864.51
60000	5205.45	2699.98	1866.37	1450.73	1202.28	1037.41
70000	6073.02	3149.97	2177.44	1692.52	1402.66	1210.31
80000	6940.59	3599.97	2488.50	1934.31	1603.04	1383.21
90000	7808.17	4049.96	2799.56	2176.10	1803.42	1556.11
100000	8675.74	4499.96	3110.62	2417.89	2003.79	1729.01

7,5%

Montant	NOMBRE D'ANNÉES					
	7	8	9	10	11	12
500	7.67	6.94	6.38	5.94	5.57	5.28
1000	15.34	13.88	12.76	11.87	11.15	10.55
2000	30.68	27.77	25.52	23.74	22.30	21.10
3000	46.01	41.65	38.28	35.61	33.44	31.66
4000	61.35	55.54	51.04	47.48	44.59	42.21
5000	76.69	69.42	63.81	59.35	55.74	52.76
6000	92.03	83.30	76.57	71.22	66.89	63.31
7000	107.37	97.1*9	89.33	83.09	78.04	73.87
8000	122.71	111.07	102.09	94.96	89.18	84.42
9000	138.04	124.95	114.85	106.83	100.33	94.97
10000	153.38	138.84	127.61	118.70	111.48	105.52
15000	230.07	208.26	191.42	178.05	167.22	158.28
20000	306.77	277.68	255.22	237.40	222.96	211.05
25000	383.46	347.10	319.03	296.75	278.70	263.81
30000	460.15	416.52	382.83	356.11	334.44	316.57
35000	536.84	485.94	446.64	415.46	390.18	369.33
40000	613.53	555.35	510.44	474.81	445.92	422.09
45000	690.22	624.77	574.25	534.16	501.66	474.85
50000	766.91	694.19	638.05	593.51	557.40	527.61
60000	920.30	833.03	765.66	712.21	668.88	633.14
70000	1073.68	971.87	893.27	830.91	780.36	738.66
80000	1227.06	1110.71	1020.88	949.61	891.84	844.18
90000	1380.44	1249.55	1148.49	1068.32	1003.32	949.70
100000	1533.83	1388.39	1276.10	1187.02	1114.80	1055.23

7,75%

Montant	NOMBRE D'ANNÉES					
	1	2	3	4	5	6
500	43.44	22.56	15.61	12.15	10.08	8.71
1000	86.87	45.11	31.22	24.30	20.16	17.41
2000	173.75	90.23	62.44	48.59	40.31	34.82
3000	260.62	135.34	93.66	72.89	60.47	52.23
4000	347.49	180.45	124.88	97.18	80.63	69.65
5000	434.36	225.57	156.11	121.48	100.78	87.06
6000	521.24	270.68	187.33	145.77	120.94	104.47
7000	608.11	315.79	218.55	170.07	141.10	121.88
8000	694.98	360.91	249.77	194.37	161.26	139.29
9000	781.86	406.02	280.99	218.66	181.41	156.70
10000	868.73	451.13	312.21	242.96	201.57	174.11
15000	1303.09	676.70	468.32	364.44	302.35	261.17
20000	1737.46	902.27	624.42	485.91	403.14	348.23
25000	2171.82	1127.83	780.53	607.39	503.92	435.29
30000	2606.19	1353.40	936.63	728.87	604.71	522.34
35000	3040.55	1578.97	1092.74	850.35	705.49	609.40
40000	3474.92	1804.53	1248.85	971.83	806.28	696.46
45000	3909.28	2030.10	1404.95	1093.31	907.06	783.51
50000	4343.64	2255.67	1561.06	1214.79	1007.85	870.57
60000	5212.37	2706.80	1873.27	1457.74	1209.42	1044.69
70000	6081.10	3157.93	2185.48	1700.70	1410.99	1218.80
80000	6949.83	3609.07	2497.69	1943.66	1612.56	1392.91
90000	7818.56	4060.20	2809.90	2186.62	1814.13	1567.03
100000	8687.29	4511.34	3122.12	2429.57	2015.70	1741.14

Montant	NOMBRE D'ANNÉES					
	7	8	9	10	11	12
500	7.73	7.00	6.44	6.00	5.64	5.34
1000	15.46	14.01	12.89	12.00	11.28	10.69
2000	30.92	28.02	25.78	24.00	22.56	21.38
3000	46.39	42.03	38.67	36.00	33.84	32.06
4000	61.85	56.04	51.56	48.00	45.13	42.75
5000	77.31	70.05	64.45	60.01	56.41	53.44
6000	92.77	84.06	77.34	72.01	67.69	64.13
7000	108.23	98.07	90.23	84.01	78.97	74.82
8000	123.70	112.08	103.12	96.01	90.25	85.50
9000	139.16	126.09	116.01	108.01	101.53	96.19
10000	154.62	140.10	128.89	120.01	112.81	106.88
15000	231.93	210.15	193.34	180.02	169.22	160.32
20000	300.24	280.20	257.79	240.02	225.63	213.76
25000	386.55	350.25	322.24	300.03	282.03	267.20
30000	463.86	420.30	386.68	360.03	338.44	320.64
35000	541.17	490.35	451.13	420.04	394.85	374.08
40000	618.48	560.40	515.58	480.04	451.25	427.52
45000	695.79	630.45	580.03	540.05	507.66	480.96
50000	773.10	700.50	644.47	600.05	564.06	534.40
60000	927.72	840.60	773.37	720.06	676.88	641.28
70000	1082.34	980.70	902.26	840.07	789.69	748.15
80000	1236.96	1120.80	1031.16	960.09	902.50	855.03
90000	1391.58	1260.89	1160.05	1080.10	1015.32	961.91
100000	1546.20	1400.99	1288.95	1200.11	1128.13	1068.79

Montant	NOMBRE D'ANNÉES					
	1	2	3	4	5	6
500	43.49	22.61	15.67	12.21	10.14	8.77
1000	86.99	45.23	31.34	24.41	20.28	17.53
2000	173.98	90.45	62.67	48.83	40.55	35.07
3000	260.97	135.68	94.01	73.24	60.83	52.60
4000	347.95	180.91	125.35	97.65	81.11	70.13
5000	434.94	226.14	156.68	122.06	101.38	87.67
6000	521.93	271.36	188.02	146.48	121.66	105.20
7000	608.92	316.59	219.35	170.89	141.93	122.73
8000	695.91	361.82	250.69	195.30	162.21	140.27
9000	782.90	407.05	282.03	219.72	182.49	157.80
10000	869.88	452.27	313.36	244.13	202.76	175.33
15000	1304.83	678.41	470.05	366.19	304.15	263.00
20000	1739.77	904.55	626.73	488.26	405.53	350.66
25000	2174.71	1130.68	783.41	610.32	506.91	438.33
30000	2609.65	1356.82	940.09	732.39	608.29	526.00
35000	3044.60	1582.96	1096.77	854.45	709.67	613.66
40000	3479.54	1809.09	1253.45	976.52	811.06	701.33
45000	3914.48	2035.23	1410.14	1098.58	912.44	789.00
50000	4349.42	2261.36	1566.82	1220.65	1013.82	876.66
60000	5219.31	2713.64	1880.18	1464.78	1216.58	1051.99
70000	6089.19	3165.91	2193.55	1708.90	1419.35	1227.33
80000	6959.07	3618.18	2506.91	1953.03	1622.11	1402.66
90000	7828.96	4070.46	2820.27	2197.16	1824.88	1577.99
100000	8698.84	4522.73	3133.64	2441.29	2027.64	1753.32

8%

Montant	NOMBRE D'ANNÉES					
	7	8	9	10	11	12
500	7.79	7.07	6.51	6.07	5.71	5.41
1000	15.59	14.14	13.02	12.13	11.42	10.82
2000	31.17	28.27	26.04	24.27	22.83	21.65
3000	46.76	42.41	39.06	36.40	34.25	32.47
4000	62.34	56.55	52.07	48.53	45.66	43.30
5000	77.93	70.68	65.09	60.66	57.08	54.12
6000	93.52	84.82	78.11	72.80	68.49	64.95
7000	109.10	98.96	91.13	84.93	79.91	75.77
8000	124.69	113.09	104.15	97.06	91.32	86.60
9000	140.28	127.23	117.17	109.19	102.74	97.42
10000	155.86	141.37	130.19	121.33	114.15	108.25
15000	233.79	212.05	195.28	181.99	171.23	162.37
20000	311.72	282.73	260.37	242.66	228.31	216.49
25000	389.66	353.42	325.47	303.32	285.39	270.61
30000	467.59	424.10	390.56	363.98	342.46	324.74
35000	545.52	494.78	455.66	424.65	399.54	378.86
40000	623.45	565.47	520.75	485.31	456.62	432.98
45000	701.38	636.15	585.84	545.97	513.70	487.10
50000	779.31	706.83	650.94	606.64	570.77	541.23
60000	935.17	848.20	781.12	727.97	684.93	649.47
70000	1091.04	989.57	911.31	849.29	799.08	757.72
80000	1246.90	1130.93	1041.50	970.62	913.24	865.96
90000	1402.76	1272.30	1171.68	1091.95	1027.39	974.21
100000	1558.62	1413.67	1301.87	1213.28	1141.54	1082.45

47

8,25%

Montant	NOMBRE D'ANNÉES					
	1	2	3	4	5	6
500	43.55	22.67	15.73	12.27	10.20	8.83
1000	87.10	45.34	31.45	24.53	20.40	17.66
2000	174.21	90.68	62.90	49.06	40.79	35.31
3000	261.31	136.02	94.36	73.59	61.19	52.97
4000	348.42	181.37	125.81	98.12	81.59	70.62
5000	435.52	226.71	157.26	122.65	101.98	88.28
6000	522.62	272.05	188.71	147.18	122.38	105.93
7000	609.73	317.39	220.16	171.71	142.77	123.59
8000	696.83	362.73	251.61	196.24	163.17	141.24
9000	783.94	408.07	283.07	220.77	183.57	158.90
10000	871.04	453.41	314.52	245.30	203.96	176.56
15000	1306.56	680.12	471.78	367.96	305.94	264.83
20000	1742.08	906.83	629.04	490.61	407.93	353.11
25000	2177.60	1133.53	786.30	613.26	509.91	441.39
30000	2613.12	1360.24	943.55	735.91	611.89	529.67
35000	3048.64	1586.95	1100.81	858.57	713.87	617.94
40000	3484.16	1813.66	1258.07	981.22	815.85	706.22
45000	3919.68	2040.36	1415.33	1103.87	917.83	794.50
50000	4355.20	2267.07	1572.59	1226.52	1019.81	882.78
60000	5226.24	2720.48	1887.11	1471.83	1223.78	1059.33
70000	6097.28	3173.90	2201.63	1717.13	1427.74	1235.89
80000	6968.33	3627.31	2516.15	1962.44	1631.70	1412.44
90000	7839.37	4080.73	2830.66	2207.74	1835.66	1589.00
100000	8710.41	4534.14	3145.18	2453.04	2039.63	1765.56

8,25%

Montant	NOMBRE D'ANNÉES					
	7	8	9	10	11	12
500	7.86	7.13	6.57	6.13	5.78	5.48
1000	15.71	14.26	13.15	12.27	11.55	10.96
2000	31.42	28.53	26.30	24.53	23.10	21.92
3000	47.13	42.79	39.45	36.80	34.65	32.89
4000	62.84	57.06	52.59	49.06	46.20	43.85
5000	78.56	71.32	65.74	61.33	57.75	54.81
6000	94.27	85.58	78.89	73.59	69.30	65.77
7000	109.98	99.85	92.04	85.86	80.85	76.73
8000	125.69	114.11	105.19	98.12	92.40	87.70
9000	141.40	128.38	118.34	110.39	103.95	98.66
10000	157.11	142.64	131.49	122.65	115.50	109.62
15000	235.67	213.96	197.23	183.98	173.26	164.43
20000	314.22	285.28	262.97	245.31	231.01	219.24
25000	392.78	356.60	328.72	306.63	288.76	274.05
30000	471.33	427.92	394.46	367.96	346.51	328.86
35000	549.89	499.24	460.20	429.28	404.27	383.67
40000	628.44	570.56	525.95	490.61	462.02	438.48
45000	707.00	641.88	591.69	551.94	519.77	493.29
50000	785.55	713.20	657.43	613.26	577.52	548.10
60000	942.66	855.84	788.92	735.92	693.03	657.72
70000	1099.77	998.49	920.41	858.57	808.53	767.35
80000	1256.88	1141.13	1051.89	981.22	924.04	876.97
90000	1414.00	1283.77	1183.38	1103.87	1039.54	986.59
100000	1571.11	1426.41	1314.87	1226.53	1155.05	1096.21

8,5%

Montant	NOMBRE D'ANNÉES					
	1	2	3	4	5	6
500	43.61	22.73	15.78	12.32	10.26	8.89
1000	87.22	45.46	31.57	24.65	20.52	17.78
2000	174.44	90.91	63.14	49.30	41.03	35.56
3000	261.66	136.37	94.70	73.94	61.55	53.34
4000	348.88	181.82	126.27	98.59	82.07	71.11
5000	436.10	227.28	157.84	123.24	102.58	88.89
6000	523.32	272.73	189.41	147.89	123.10	106.67
7000	610.54	318.19	220.97	172.54	143.62	124.45
8000	697.76	363.65	252.54	197.19	164.13	142.23
9000	784.98	409.10	284.11	221.83	184.65	160.01
10000	872.20	454.56	315.68	246.48	205.17	177.78
15000	1308.30	681.84	473.51	369.72	307.75	266.68
20000	1744.40	909.11	631.35	492.97	410.33	355.57
25000	2180.49	1136.39	789.19	616.21	512.91	444.46
30000	2616.59	1363.67	947.03	739.45	615.50	533.35
35000	3052.69	1590.95	1104.86	862.69	718.08	622.24
40000	3488.79	1818.23	1262.70	985.93	820.66	711.14
45000	3924.89	2045.51	1420.54	1109.17	923.24	800.03
50000	4360.99	2272.78	1578.38	1232.42	1025.83	888.92
60000	5233.19	2727.34	1894.05	1478.90	1230.99	1066.70
70000	6105.38	3181.90	2209.73	1725.38	1436.16	1244.49
80000	6977.58	3636.45	2525.40	1971.86	1641.32	1422.27
90000	7849.78	4091.01	2841.08	2218.35	1846.49	1600.05
100000	8721.98	4545.57	3156.75	2464.83	2051.65	1777.84

8,5%

Montant	NOMBRE D'ANNÉES					
	7	8	9	10	11	12
500	7.92	7.20	6.64	6.20	5.84	5.55
1000	15.84	14.39	13.28	12.40	11.69	11.10
2000	31.67	28.78	26.56	24.80	23.37	22.20
3000	47.51	43.18	39.84	37.20	35.06	33.30
4000	63.35	57.57	53.12	49.59	46.75	44.40
5000	79.18	71.96	66.40	61.99	58.43	55.50
6000	95.02	86.35	79.68	74.39	70.12	66.60
7000	110.86	100.74	92.96	86.79	81.80	77.70
8000	126.69	115.14	106.23	99.19	93.49	88.80
9000	142.53	129.53	119.51	111.59	105.18	99.91
10000	158.36	143.92	132.79	123.99	116.86	111.01
15000	237.55	215.88	199.19	185.98	175.30	166.51
20000	316.73	287.84	265.59	247.97	233.73	222.01
25000	395.91	359.80	331.98	309.96	292.16	277.51
30000	475.09	431.76	398.38	371.96	350.59	333.02
35000	554.28	503.72	464.78	433.95	409.02	388.52
40000	633.46	575.69	531.17	495.94	467.46	444.02
45000	712.64	647.65	597.57	557.94	525.89	499.53
50000	791.82	719.61	663.97	619.93	584.32	555.03
60000	950.19	863.53	796.76	743.91	701.18	666.03
70000	1108.55	1007.45	929.55	867.90	818.05	777.04
80000	1266.92	1151.37	1062.35	991.89	934.91	888.04
90000	1425.28	1295.29	1195.14	1115.87	1051.78	999.05
100000	1583.65	1439.21	1327.94	1239.86	1168.64	1110.06

8,75%

Montant	NOMBRE D'ANNÉES					
	1	2	3	4	5	6
500	43.67	22.79	15.84	12.38	10.32	8.95
1000	87.34	45.57	31.68	24.77	20.64	17.90
2000	174.67	91.14	63.37	49.53	41.27	35.80
3000	262.01	136.71	95.05	74.30	61.91	53.71
4000	349.34	182.28	126.73	99.07	82.55	71.61
5000	436.68	227.85	158.42	123.83	103.19	89.51
6000	524.01	273.42	190.10	148.60	123.82	107.41
7000	611.35	318.99	221.78	173.37	144.46	125.31
8000	698.68	364.56	253.47	198.13	165.10	143.21
9000	786.02	410.13	285.15	222.90	185.74	161.12
10000	873.36	455.70	316.84	247.67	206.37	179.02
15000	1310.03	683.55	475.25	371.50	309.56	268.53
20000	1746.71	911.40	633.67	495.33	412.74	358.03
25000	2183.39	1139.25	792.09	619.16	515.93	447.54
30000	2620.07	1367.10	950.51	743.00	619.12	537.05
35000	3056.75	1594.95	1108.92	866.83	722.30	626.56
40000	3493.42	1822.80	1267.34	990.66	825.49	716.07
45000	3930.10	2050.66	1425.76	1114.49	928.68	805.58
50000	4366.78	2278.51	1584.18	1238.33	1031.86	895.09
60000	5240.14	2734.21	1901.01	1485.99	1238.23	1074.10
70000	6113.49	3189.91	2217.85	1733.66	1444.61	1253.12
80000	6986.85	3645.61	2534.68	1981.32	1650.98	1432.14
90000	7860.20	4101.31	2851.52	2228.99	1857.35	1611.15
100000	8733.56	4557.01	3168.35	2476.65	2063.72	1790.17

8,75%

Montant	NOMBRE D'ANNÉES					
	7	8	9	10	11	12
500	7.98	7.26	6.71	6.27	5.91	5.62
1000	15.96	14.52	13.41	12.53	11.82	11.24
2000	31.92	29.04	26.82	25.07	23.65	22.48
3000	47.89	43.56	40.23	37.60	35.47	33.72
4000	63.85	58.08	53.64	50.13	47.29	44.96
5000	79.81	72.60	67.05	62.66	59.12	56.20
6000	95.77	87.13	80.46	75.20	70.94	67.44
7000	111.74	101.65	93.88	87.73	82.76	78.68
8000	127.70	116.17	107.29	100.26	94.59	89.92
9000	143.66	130.69	120.70	112.79	106.41	101.16
10000	159.62	145.21	134.11	125.33	118.23	112.40
15000	239.44	217.81	201.16	187.99	177.35	168.60
20000	319.25	290.42	268.22	250.65	236.46	224.80
25000	399.06	363.02	335.27	313.32	295.58	281.00
30000	478.87	435.63	402.32	375.98	354.70	337.20
35000	558.69	508.23	469.38	438.64	413.81	393.40
40000	638.50	580.83	536.43	501.31	472.93	449.60
45000	718.31	653.44	603.48	563.97	532.04	505.80
50000	798.12	726.04	670.54	626.63	591.16	562.00
60000	957.75	871.25	804.65	751.96	709.39	674.40
70000	1117.37	1016.46	938.75	877.29	827.62	786.80
80000	1277.00	1161.67	1072.86	1002.61	945.85	899.20
90000	1436.62	1306.88	1206.97	1127.94	1064.09	1011.60
100000	1596.25	1452.08	1341.08	1253.27	1182.32	1124.00

9%

Montant	NOMBRE D'ANNÉES					
	1	2	3	4	5	6
500	43.73	22.84	15.90	12.44	10.38	9.01
1000	87.45	45.68	31.80	24.89	20.76	18.03
2000	174.90	91.37	63.60	49.77	41.52	36.05
3000	262.35	137.05	95.40	74.66	62.28	54.08
4000	349.81	182.74	127.20	99.54	83.03	72.10
5000	437.26	228.42	159.00	124.43	103.79	90.13
6000	524.71	274.11	190.80	149.31	124.55	108.15
7000	612.16	319.79	222.60	174.20	145.31	126.18
8000	699.61	365.48	254.40	199.08	166.07	144.20
9000	787.06	411.16	286.20	223.97	186.83	162.23
10000	874.51	456.85	318.00	248.85	207.58	180.26
15000	1311.77	685.27	477.00	373.28	311.38	270.38
20000	1749.03	913.69	635.99	497.70	415.17	360.51
25000	2186.29	1142.12	794.99	622.13	518.96	450.64
30000	2623.54	1370.54	953.99	746.55	622.75	540.77
35000	3060.80	1598.97	1112.99	870.98	726.54	630.89
40000	3498.06	1827.39	1271.99	995.40	830.33	721.02
45000	3935.32	2055.81	1430.99	1119.83	934.13	811.15
50000	4372.57	2284.24	1589.99	1244.25	1037.92	901.28
60000	5247.09	2741.08	1907.98	1493.10	1245.50	1081.53
70000	6121.60	3197.93	2225.98	1741.95	1453.08	1261.79
80000	6996.12	3654.78	2543.98	1990.80	1660.67	1442.04
90000	7870.63	4111.63	2861.98	2239.65	1868.25	1622.30
100000	8745.15	4568.47	3179.97	2488.50	2075.84	1802.55

| Montant | NOMBRE D'ANNÉES | | | | | |
	7	8	9	10	11	12
500	8.04	7.33	6.77	6.33	5.98	5.69
1000	16.09	14.65	13.54	12.67	11.96	11.38
2000	32.18	29.30	27.09	25.34	23.92	22.76
3000	48.27	43.95	40.63	38.00	35.88	34.14
4000	64.36	58.60	54.17	50.67	47.84	45.52
5000	80.45	73.25	67.71	63.34	59.80	56.90
6000	96.53	87.90	81.26	76.01	71.76	68.28
7000	112.62	102.55	94.80	88.67	83.73	79.66
8000	128.71	117.20	108.34	101.34	95.69	91.04
9000	144.80	131.85	121.89	114.01	107.65	102.42
10000	160.89	146.50	135.43	126.68	119.61	113.80
15000	241.34	219.75	203.14	190.01	179.41	170.70
20000	321.78	293.00	270.86	253.35	239.22	227.61
25000	402.23	366.26	338.57	316.69	299.02	284.51
30000	482.67	439.51	406.29	380.03	358.82	341.41
35000	563.12	512.76	474.00	443.37	418.63	398.31
40000	643.56	586.01	541.72	506.70	478.43	455.21
45000	724.01	659.26	609.43	570.04	538.24	512.11
50000	804.45	732.51	677.15	633.38	598.04	569.02
60000	965.34	879.01	812.57	760.05	717.65	682.82
70000	1126.24	1025.51	948.00	886.73	837.26	796.62
80000	1287.13	1172.02	1083.43	1013.41	956.86	910.42
90000	1448.02	1318.52	1218.86	1140.08	1076.47	1024.23
100000	1608.91	1465.02	1354.29	1266.76	1196.08	1138.03

9,25%

Montant	NOMBRE D'ANNÉES					
	1	2	3	4	5	6
500	43.78	22.90	15.96	12.50	10.44	9.07
1000	87.57	45.80	31.92	25.00	20.88	18.15
2000	175.13	91.60	63.83	50.01	41.76	36.30
3000	262.70	137.40	95.75	75.01	62.64	54.45
4000	350.27	183.20	127.66	100.02	83.52	72.60
5000	437.84	229.00	159.58	125.02	104.40	90.75
6000	525.40	274.80	191.50	150.02	125.28	108.90
7000	612.97	320.60	223.41	175.03	146.16	127.05
8000	700.54	366.40	255.33	200.03	167.04	145.20
9000	788.11	412.20	287.25	225.04	187.92	163.35
10000	875.67	458.00	319.16	250.04	208.80	181.50
15000	1313.51	686.99	478.74	375.06	313.20	272.25
20000	1751.35	915.99	638.32	500.08	417.60	363.00
25000	2189.19	1144.99	797.91	625.10	522.00	453.75
30000	2627.02	1373.99	957.49	750.12	626.40	544.50
35000	3064.86	1602.98	1117.07	875.14	730.80	635.25
40000	3502.70	1831.98	1276.65	1000.16	835.20	725.99
45000	3940.54	2060.98	1436.23	1125.18	939.60	816.74
50000	4378.37	2289.98	1595.81	1250.20	1043.99	907.49
60000	5254.05	2747.97	1914.97	1500.24	1252.79	1088.99
70000	6129.72	3205.97	2234.13	1750.27	1461.59	1270.49
80000	7005.40	3663.96	2553.30	2000.31	1670.39	1451.99
90000	7881.07	4121.96	2872.46	2250.35	1879.19	1633.49
100000	8756.75	4579.95	3191.62	2500.39	2087.99	1814.99

9,25%

Montant	NOMBRE D'ANNÉES					
	7	8	9	10	11	12
500	8.11	7.39	6.84	6.40	6.05	5.76
1000	16.22	14.78	13.68	12.80	12.10	11.52
2000	32.43	29.56	27.35	25.61	24.20	23.04
3000	48.65	44.34	41.03	38.41	36.30	34.56
4000	64.86	59.12	54.70	51.21	48.40	46.09
5000	81.08	73.90	68.38	64.02	60.50	57.61
6000	97.30	88.68	82.05	76.82	72.60	69.13
7000	113.51	103.46	95.73	89.62	84.70	80.65
8000	129.73	118.24	109.41	102.43	96.79	92.17
9000	145.95	133.02	123.08	115.23	108.89	103.69
10000	162.16	147.80	136.76	128.03	120.99	115.22
15000	243.24	221.70	205.14	192.05	181.49	172.82
20000	324.32	295.60	273.52	256.07	241.99	230.43
25000	405.41	369.51	341.89	320.08	302.48	288.04
30000	486.49	443.41	410.27	384.10	362.98	345.65
35000	567.57	517.31	478.65	448.11	423.48	403.25
40000	648.65	591.21	547.03	512.13	483.97	460.86
45000	729.73	665.11	615.41	576.15	544.47	518.47
50000	810.81	739.01	683.79	640.16	604.96	576.08
60000	972.97	886.81	820.55	768.20	725.96	691.29
70000	1135.14	1034.62	957.30	896.23	846.95	806.51
80000	1297.30	1182.42	1094.06	1024.26	967.94	921.73
90000	1459.46	1330.22	1230.82	1152.29	1088.94	1036.94
100000	1621.62	1478.02	1367.58	1280.33	1209.93	1152.16

9,5%

Montant	NOMBRE D'ANNÉES					
	1	2	3	4	5	6
500	43.84	22.96	16.02	12.56	10.50	9.14
1000	87.68	45.91	32.03	25.12	21.00	18.27
2000	175.37	91.83	64.07	50.25	42.00	36.55
3000	263.05	137.74	96.10	75.37	63.01	54.82
4000	350.73	183.66	128.13	100.49	84.01	73.10
5000	438.42	229.57	160.16	125.62	105.01	91.37
6000	526.10	275.49	192.20	150.74	126.01	109.65
7000	613.78	321.40	224.23	175.86	147.01	127.92
8000	701.47	367.32	256.26	200.99	168.01	146.20
9000	789.15	413.23	288.30	226.11	189.02	164.47
10000	876.84	459.14	320.33	251.23	210.02	182.75
15000	1315.25	688.72	480.49	376.85	315.03	274.12
20000	1753.67	918.29	640.66	502.46	420.04	365.49
25000	2192.09	1147.86	800.82	628.08	525.05	456.87
30000	2630.51	1377.43	960.99	753.69	630.06	548.24
35000	3068.92	1607.01	1121.15	879.31	735.07	639.61
40000	3507.34	1836.58	1281.32	1004.93	840.07	730.99
45000	3945.76	2066.15	1441.48	1130.54	945.08	822.36
50000	4384.18	2295.72	1601.65	1256.16	1050.09	913.73
60000	5261.01	2754.87	1921.98	1507.39	1260.11	1096.48
70000	6137.85	3214.01	2242.31	1758.62	1470.13	1279.23
80000	7014.68	3673.16	2562.64	2009.85	1680.15	1461.98
90000	7891.52	4132.30	2882.97	2261.08	1890.17	1644.72
100000	8768.35	4591.45	3203.29	2512.31	2100.19	1827.47

9,5%

Montant	NOMBRE D'ANNÉES					
	7	8	9	10	11	12
500	8.17	7.46	6.90	6.47	6.12	5.83
1000	16.34	14.91	13.81	12.94	12.24	11.66
2000	32.69	29.82	27.62	25.88	24.48	23.33
3000	49.03	44.73	41.43	38.82	36.72	34.99
4000	65.38	59.64	55.24	51.76	48.95	46.65
5000	81.72	74.55	69.05	64.70	61.19	58.32
6000	98.06	89.47	82.86	77.64	73.43	69.98
7000	114.41	104.38	96.67	90.58	85.67	81.65
8000	130.75	119.29	110.47	103.52	97.91	93.31
9000	147.10	134.20	124.28	116.46	110.15	104.97
10000	163.44	149.11	138.09	129.40	122.39	116.64
15000	245.16	223.66	207.14	194.10	183.58	174.96
20000	326.88	298.22	276.19	258.80	244.77	233.27
25000	408.60	372.77	345.23	323.49	305.97	291.59
30000	490.32	447.33	414.28	388.19	367.16	349.91
35000	572.04	521.88	483.33	452.89	428.35	408.23
40000	653.76	596.44	552.37	517.59	489.55	466.55
45000	735.48	670.99	621.42	582.29	550.74	524.87
50000	817.20	745.54	690.47	646.99	611.93	583.19
60000	980.64	894.65	828.56	776.39	734.32	699.82
70000	1144.08	1043.76	966.66	905.78	856.71	816.46
80000	1307.52	1192.87	1104.75	1035.18	979.09	933.10
90000	1470.96	1341.98	1242.84	1164.58	1101.48	1049.74
100000	1634.40	1491.09	1380.94	1293.98	1223.86	1166.37

9,75%

Montant	NOMBRE D'ANNÉES					
	1	2	3	4	5	6
500	43.90	23.01	16.07	12.62	10.56	9.20
1000	87.80	46.03	32.15	25.24	21.12	18.40
2000	175.60	92.06	64.30	50.49	42.25	36.80
3000	263.40	138.09	96.45	75.73	63.37	55.20
4000	351.20	184.12	128.60	100.97	84.50	73.60
5000	439.00	230.15	160.75	126.21	105.62	92.00
6000	526.80	276.18	192.90	151.46	126.75	110.40
7000	614.60	322.21	225.05	176.70	147.87	128.80
8000	702.40	368.24	257.20	201.94	168.99	147.20
9000	790.20	414.27	289.35	227.18	190.12	165.60
10000	878.00	460.30	321.50	252.43	211.24	184.00
15000	1316.99	690.44	482.25	378.64	316.86	276.00
20000	1755.99	920.59	643.00	504.85	422.48	368.00
25000	2194.99	1150.74	803.75	631.07	528.11	460.00
30000	2633.99	1380.89	964.50	757.28	633.73	552.00
35000	3072.99	1611.04	1125.25	883.49	739.35	644.00
40000	3511.99	1841.18	1286.00	1009.71	844.97	736.00
45000	3950.98	2071.33	1446.75	1135.92	950.59	828.00
50000	4389.98	2301.48	1607.50	1262.13	1056.21	920.00
60000	5267.98	2761.78	1929.00	1514.56	1267.45	1104.00
70000	6145.98	3222.07	2250.50	1766.99	1478.70	1288.00
80000	7023.97	3682.37	2572.00	2019.42	1689.94	1472.00
90000	7901.97	4142.67	2893.49	2271.84	1901.18	1656.00
100000	8779.97	4602.96	3214.99	2524.27	2112.42	1840.00

Montant	NOMBRE D'ANNÉES					
	7	8	9	10	11	12
500	8.24	7.52	6.97	6.54	6.19	5.90
1000	16.47	15.04	13.94	13.08	12.38	11.81
2000	32.94	30.08	27.89	26.15	24.76	23.61
3000	49.42	45.13	41.83	39.23	37.14	35.42
4000	65.89	60.17	55.77	52.31	49.52	47.23
5000	82.36	75.21	69.72	65.39	61.89	59.03
6000	98.83	90.25	83.66	78.46	74.27	70.84
7000	115.31	105.30	97.61	91.54	86.65	82.65
8000	131.78	120.34	111.55	104.62	99.03	94.45
9000	148.25	135.38	125.49	117.69	111.41	106.26
10000	164.72	150.42	139.44	130.77	123.79	118.07
15000	247.08	225.63	209.15	196 16	185.68	177.10
20000	329.45	300.84	278.87	261.54	247.58	236.14
25000	411.81	376.06	348.59	326.93	309.47	295.17
30000	494.17	451.27	418.31	392.31	371.37	354.20
35000	576.53	526.48	488.03	457.70	433.26	413.24
40000	658.89	601.69	557.75	523.08	495.15	472.27
45000	741.25	676.90	627.46	588.47	557.05	531.31
50000	823.61	752.11	697.18	653.85	618.94	590.34
60000	988.34	902.53	836.62	784.62	742.73	708.41
70000	1153.06	1052.95	976.06	915.39	866.52	826.48
80000	1317.78	1203.38	1115.49	1046.16	990.31	944.54
90000	1482.51	1353.80	1254.93	1176.93	1114.10	1062.61
100000	1647.23	1504.22	1394.37	1307.70	1237.88	1180.68

10%

Montant	NOMBRE D'ANNÉES					
	1	2	3	4	5	6
500	43.96	23.07	16.13	12.68	10.62	9.26
1000	87.92	46.14	32.27	25.36	21.25	18.53
2000	175.83	92.29	64.53	50.73	42.49	37.05
3000	263.75	138.43	96.80	76.09	63.74	55.58
4000	351.66	184.58	129.07	101.45	84.99	74.10
5000	439.58	230.72	161.34	126.81	106.24	92.63
6000	527.50	276.87	193.60	152.18	127.48	111.16
7000	615.41	323.01	225.87	177.54	148.73	129.68
8000	703.33	369.16	258.14	202.90	169.98	148.21
9000	791.24	415.30	290.40	228.26	191.22	166.73
10000	879.16	461.45	322.67	253.63	212.47	185.26
15000	1318.74	692.17	484.01	380.44	318.71	277.89
20000	1758.32	922.90	645.34	507.25	424.94	370.52
25000	2197.90	1153.62	806.68	634.06	531.18	463.15
30000	2637.48	1384.35	968.02	760.88	637.41	555.78
35000	3077.06	1615.07	1129.35	887.69	743.65	648.40
40000	3516.64	1845.80	1290.69	1014.50	849.88	741.03
45000	3956.21	2076.52	1452.02	1141.32	956.12	833.66
50000	4395.79	2307.25	1613.36	1268.13	1062.35	926.29
60000	5274.95	2768.70	1936.03	1521.76	1274.82	1111.55
70000	6154.11	3230.14	2258.70	1775.38	1487.29	1296.81
80000	7033.27	3691.59	2581.37	2029.01	1699.76	1482.07
90000	7912.43	4153.04	2904.05	2282.63	1912.23	1667.33
100000	8791.59	4614.49	3226.72	2536.26	2124.70	1852.58

10%

Montant	NOMBRE D'ANNÉES					
	7	8	9	10	11	12
500	8.30	7.59	7.04	6.61	6.26	5.98
1000	16.60	15.17	14.08	13.22	12.52	11.95
2000	33.20	30.35	28.16	26.43	25.04	23.90
3000	49.80	45.52	42.24	39.65	37.56	35.85
4000	66.40	60.70	56.31	52.86	50.08	47.80
5000	83.01	75.87	70.39	66.08	62.60	59.75
6000	99.61	91.04	84.47	79.29	75.12	71.70
7000	116.21	106.22	98.55	92.51	87.64	83.66
8000	132.81	121.39	112.63	105.72	100.16	95.61
9000	149.41	136.57	126.71	118.94	112.68	107.56
10000	166.01	151.74	140.79	132.15	125.20	119.51
15000	249.02	227.61	211.18	198.23	187.80	179.26
20000	332.02	303.48	281.57	264.30	250.40	239.02
25000	415.03	379.35	351.97	330.38	313.00	298.77
30000	498.04	455.22	422.36	396.45	375.60	358.52
35000	581.04	531.10	492.75	462.53	438.20	418.28
40000	664.05	606.97	563.15	528.60	500.80	478.03
45000	747.05	682.84	633.54	594.68	563.39	537.79
50000	830.06	758.71	703.93	660.75	625.99	597.54
60000	996.07	910.45	844.72	792.90	751.19	717.05
70000	1162.08	1062.19	985.51	925.06	876.39	836.55
80000	1328.09	1213.93	1126.29	1057.21	1001.59	956.06
90000	1494.11	1365.67	1267.08	1189.36	1126.79	1075.57
100000	1660.12	1517.42	1407.87	1321.51	1251.99	1195.08

10,25%

Montant	NOMBRE D'ANNÉES					
	1	2	3	4	5	6
500	44.02	23.13	16.19	12.74	10.69	9.33
1000	88.03	46.26	32.38	25.48	21.37	18.65
2000	176.06	92.52	64.77	50.97	42.74	37.30
3000	264.10	138.78	97.15	76.45	64.11	55.96
4000	352.13	185.04	129.54	101.93	85.48	74.61
5000	440.16	231.30	161.92	127.41	106.85	93.26
6000	528.19	277.56	194.31	152.90	128.22	111.91
7000	616.23	323.82	226.69	178.38	149.59	130.57
8000	704.26	370.08	259.08	203.86	170.96	149.22
9000	792.29	416.34	291.46	229.35	192.33	167.87
10000	880.32	462.60	323.85	254.83	213.70	186.52
15000	1320.48	693.91	485.77	382.24	320.55	279.78
20000	1760.64	925.21	647.69	509.66	427.41	373.04
25000	2200.81	1156.51	809.62	637.07	534.26	466.30
30000	2640.97	1387.81	971.54	764.48	641.11	559.56
35000	3081.13	1619.11	1133.46	891.90	747.96	652.83
40000	3521.29	1850.42	1295.39	1019.31	854.81	746.09
45000	3961.45	2081.72	1457.31	1146.73	961.66	839.35
50000	4401.61	2313.02	1619.23	1274.14	1068.51	932.61
60000	5281.93	2775.62	1943.08	1528.97	1282.22	1119.13
70000	6162.25	3238.23	2266.93	1783.80	1495.92	1305.65
80000	7042.58	3700.83	2590.78	2038.63	1709.62	1492.17
90000	7922.90	4163.44	2914.62	2293.45	1923.32	1678.69
100000	8803.22	4626.04	3238.47	2548.28	2137.03	1865.22

10,25%

Montant	NOMBRE D'ANNÉES					
	7	8	9	10	11	12
500	8.37	7.65	7.11	6.68	6.33	6.05
1000	16.73	15.31	14.21	13.35	12.66	12.10
2000	33.46	30.61	28.43	26.71	25.32	24.19
3000	50.19	45.92	42.64	40.06	37.99	36.29
4000	66.92	61.23	56.86	53.42	50.65	48.38
5000	83.65	76.53	71.07	66.77	63.31	60.48
6000	100.38	91.84	85.29	80.12	75.97	72.57
7000	117.11	107.15	99.50	93.48	88.63	84.67
8000	133.85	122.45	113.72	106.83	101.29	96.77
9000	150.58	137.76	127.93	120.19	113.96	108.86
10000	167.31	153.07	142.14	133.54	126.62	120.96
15000	250.96	229.60	213.22	200.31	189.93	181.43
20000	334.61	306.14	284.29	267.08	253.24	241.91
25000	418.27	382.67	355.36	333.85	316.54	302.39
30000	501.92	459.20	426.43	400.62	379.85	362.87
35000	585.57	535.74	497.50	467.39	443.16	423.35
40000	669.23	612.27	568.58	534.16	506.47	483.83
45000	752.88	688.80	639.65	600.93	569.78	544.30
50000	836.53	765.34	710.72	667.70	633.09	604.78
60000	1003.84	918.41	852.87	801.23	759.71	725.74
70000	1171.15	1071.47	995.01	934.77	886.32	846.70
80000	1338.45	1224.54	1137.15	1068.31	1012.94	967.65
90000	1505.76	1377.61	1279.30	1201.85	1139.56	1088.61
100000	1673.06	1530.68	1421.44	1335.39	1266.18	1209.57

10,50%

Montant	NOMBRE D'ANNÉES					
	1	2	3	4	5	6
500	44.07	23.19	16.25	12.80	10.75	9.39
1000	88.15	46.38	32.50	25.60	21.49	18.78
2000	176.30	92.75	65.00	51.21	42.99	37.56
3000	264.45	139.13	97.51	76.81	64.48	56.34
4000	352.59	185.50	130.01	102.41	85.98	75.12
5000	440.74	231.88	162.51	128.02	107.47	93.89
6000	528.89	278.26	195.01	153.62	128.96	112.67
7000	617.04	324.63	227.52	179.22	150.46	131.45
8000	705.19	371.01	260.02	204.83	171.95	150.23
9000	793.34	417.38	292.52	230.43	193.45	169.01
10000	881.49	463.76	325.02	256.03	214.94	187.79
15000	1322.23	695.64	487.54	384.05	322.41	281.68
20000	1762.97	927.52	650.05	512.07	429.88	375.58
25000	2203.72	1159.40	812.56	640.08	537.35	469.47
30000	2644.46	1391.28	975.07	768.10	644.82	563.37
35000	3085.20	1623.16	1137.59	896.12	752.29	657.26
40000	3525.94	1855.04	1300.10	1024.14	859.76	751.16
45000	3966.69	2086.92	1462.61	1152.15	967.23	845.05
50000	4407.43	2318.80	1625.12	1280.17	1074.70	938.95
60000	5288.92	2782.56	1950.15	1536.20	1289.63	1126.74
70000	6170.40	3246.32	2275.17	1792.24	1504.57	1314.53
80000	7051.89	3710.08	2600.20	2048.27	1719.51	1502.32
90000	7933.37	4173.84	2925.22	2304.30	1934.45	1690.11
100000	8814.86	4637.60	3250.24	2560.34	2149.39	1877.90

10,50%

Montant	NOMBRE D'ANNÉES					
	7	8	9	10	11	12
500	8.43	7.72	7.18	6.75	6.40	6.12
1000	16.86	15.44	14.35	13.49	12.80	12.24
2000	33.72	30.88	28.70	26.99	25.61	24.48
3000	50.58	46.32	43.05	40.48	38.41	36.72
4000	67.44	61.76	57.40	53.97	51.22	48.97
5000	84.30	77.20	71.75	67.47	64.02	61.21
6000	101.16	92.64	86.11	80.96	76.83	73.45
7000	118.02	108.08	100.46	94.45	89.63	85.69
8000	134.89	123.52	114.81	107.95	102.44	97.93
9000	151.75	138.96	129.16	121.44	115.24	110.17
10000	168.61	154.40	143.51	134.93	128.04	122.41
15000	252.91	231.60	215.26	202.40	192.07	183.62
20000	337.21	308.80	287.02	269.87	256.09	244.83
25000	421.52	386.00	358.77	337.34	320.11	306.04
30000	505.82	463.20	430.53	404.80	384.13	367.24
35000	590.12	540.40	502.28	472.27	448.16	428.45
40000	674.43	617.60	574.03	539.74	512.18	489.66
45000	758.73	694.80	645.79	607.21	576.20	550.86
50000	843.03	772.00	717.54	674.67	640.22	612.07
60000	1011.64	926.40	861.05	809.61	768.27	734.48
70000	1180.25	1080.80	1004.56	944.54	896.31	856.90
80000	1348.85	1235.20	1148.07	1079.48	1024.36	979.31
90000	1517.46	1389.60	1291.58	1214.41	1152.40	1101.73
100000	1686.07	1544.00	1435.09	1349.35	1280.45	1224.14

10,75%

Montant	NOMBRE D'ANNÉES					
	1	2	3	4	5	6
500	44.13	23.25	16.31	12.86	10.81	9.45
1000	88.27	46.49	32.62	25.72	21.62	18.91
2000	176.53	92.98	65.24	51.45	43.24	37.81
3000	264.80	139.48	97.86	77.17	64.85	56.72
4000	353.06	185.97	130.48	102.90	86.47	75.63
5000	441.33	232.46	163.10	128.62	108.09	94.53
6000	529.59	278.95	195.72	154.35	129.71	113.44
7000	617.86	325.44	228.34	180.07	151.33	132.34
8000	706.12	371.93	260.96	205.79	172.94	151.25
9000	794.39	418.43	293.58	231.52	194.56	170.16
10000	882.65	464.92	326.20	257.24	216.18	189.06
15000	1323.98	697.38	489.31	385.86	324.27	283.59
20000	1765.30	929.84	652.41	514.49	432.36	378.13
25000	2206.63	1162.30	815.51	643.11	540.45	472.66
30000	2647.95	1394.76	978.61	771.73	648.54	567.19
35000	3089.28	1627.21	1141.72	900.35	756.63	661.72
40000	3530.60	1859.67	1304.82	1028.97	864.72	756.25
45000	3971.93	2092.13	1467.92	1157.59	972.81	850.78
50000	4413.25	2324.59	1631.02	1286.21	1080.90	945.31
60000	5295.91	2789.51	1957.23	1543.46	1297.08	1134.38
70000	6178.56	3254.43	2283.43	1800.70	1513.26	1323.44
80000	7061.21	3719.35	2609.64	2057.94	1729.44	1512.50
90000	7943.86	4184.27	2935.84	2315.19	1945.62	1701.57
100000	8826.51	4649.19	3262.05	2572.43	2161.80	1890.63

10,75%

Montant	NOMBRE D'ANNÉES					
	7	8	9	10	11	12
500	8.50	7.79	7.24	6.82	6.47	6.19
1000	16.99	15.57	14.49	13.63	12.95	12.39
2000	33.98	31.15	28.98	27.27	25.90	24.78
3000	50.97	46.72	43.46	40.90	38.84	37.16
4000	67.97	62.30	57.95	54.54	51.79	49.55
5000	84.96	77.87	72.44	68.17	64.74	61.94
6000	101.95	93.44	86.93	81.80	77.69	74.33
7000	118.94	109.02	101.42	95.44	90.64	86.72
8000	135.93	124.59	115.90	109.07	103.58	99.10
9000	152.92	140.17	130.39	122.70	116.53	111.49
10000	169.91	155.74	144.88	136.34	129.48	123.88
15000	254.87	233.61	217.32	204.51	194.22	185.82
20000	339.83	311.48	289.76	272.68	258.96	247.76
25000	424.78	389.35	362.20	340.85	323.70	309.70
30000	509.74	467.22	434.64	409.02	388.44	371.64
35000	594.69	545.09	507.08	477.19	453.18	433.58
40000	679.65	622.96	579.52	545.35	517.92	495.52
45000	764.61	700.83	651.96	613.52	582.66	557.46
50000	849.56	778.70	724.40	681.69	647.40	619.40
60000	1019.48	934.43	869.28	818.03	776.88	743.28
70000	1189.39	1090.17	1014.16	954.37	906.36	867.16
80000	1359.30	1245.91	1159.04	1090.71	1035.84	991.04
90000	1529.21	1401.65	1303.92	1227.05	1165.32	1114.92
100000	1699.13	1557.39	1448.80	1363.39	1294.80	1238.80

11%

Montant	NOMBRE D'ANNÉES					
	1	2	3	4	5	6
500	44.19	23.30	16.37	12.92	10.87	9.52
1000	88.38	46.61	32.74	25.85	21.74	19.03
2000	176.76	93.22	65.48	51.69	43.48	38.07
3000	265.14	139.82	98.22	77.54	65.23	57.10
4000	353.53	186.43	130.95	103.38	86.97	76.14
5000	441.91	233.04	163.69	129.23	108.71	95.17
6000	530.29	279.65	196.43	155.07	130.45	114.20
7000	618.67	326.25	229.17	180.92	152.20	133.24
8000	707.05	372.86	261.91	206.76	173.94	152.27
9000	795.43	419.47	294.65	232.61	195.68	171.31
10000	883.82	466.08	327.39	258.46	217.42	190.34
15000	1325.72	699.12	491.08	387.68	326.14	285.51
20000	1767.63	932.16	654.77	516.91	434.85	380.68
25000	2209.54	1165.20	818.47	646.14	543.56	475.85
30000	2651.45	1398.24	982.16	775.37	652.27	571.02
35000	3093.36	1631.27	1145.86	904.59	760.98	666.19
40000	3535.27	1864.31	1309.55	1033.82	869.70	761.36
45000	3977.17	2097.35	1473.24	1163.05	978.41	856.53
50000	4419.08	2330.39	1636.94	1292.28	1087.12	951.70
60000	5302.90	2796.47	1964.32	1550.73	1304.55	1142.04
70000	6186.72	3262.55	2291.71	1809.19	1521.97	1332.39
80000	7070.53	3728.63	2619.10	2067.64	1739.39	1522.73
90000	7954.35	4194.71	2946.48	2326.10	1956.82	1713.07
100000	8838.17	4660.78	3273.87	2584.55	2174.24	1903.41

11%

Montant	NOMBRE D'ANNÉES					
	7	8	9	10	11	12
500	8.56	7.85	7.31	6.89	6.55	6.27
1000	17.12	15.71	14.63	13.78	13.09	12.54
2000	34.24	31.42	29.25	27.55	26.18	25.07
3000	51.37	47.13	43.88	41.33	39.28	37.61
4000	68.49	62.83	58.50	55.10	52.37	50.14
5000	85.61	78.54	73.13	68.88	65.46	62.68
6000	102.73	94.25	87.76	82.65	78.55	75.21
7000	119.86	109.96	102.38	96.43	91.65	87.75
8000	136.98	125.67	117.01	110.20	104.74	100.28
9000	154.10	141.38	131.63	123.98	117.83	112.82
10000	171.22	157.08	146.26	137.75	130.92	125.36
15000	256.84	235.63	219.39	206.63	196.39	188.03
20000	342.45	314.17	292.52	275.50	261.85	250.71
25000	428.06	392.71	365.65	344.38	327.31	313.39
30000	513.67	471.25	438.78	413.25	392.77	376.07
35000	599.29	549.79	511.91	482.13	458.23	438.74
40000	684.90	628.34	585.03	551.00	523.69	501.42
45000	770.51	706.88	658.16	619.88	589.16	564.10
50000	856.12	785.42	731.29	688.75	654.62	626.78
60000	1027.35	942.51	877.55	826.50	785.54	752.13
70000	1198.57	1099.59	1023.81	964.25	916.46	877.49
80000	1369.79	1256.67	1170.07	1102.00	1047.39	1002.84
90000	1541.02	1413.76	1316.33	1239.75	1178.31	1128.20
100000	1712.24	1570.84	1462.59	1377.50	1309.23	1253.56

11,25%

Montant	NOMBRE D'ANNÉES					
	1	2	3	4	5	6
500	44.25	23.36	16.43	12.98	10.93	9.58
1000	88.50	46.72	32.86	25.97	21.87	19.16
2000	177.00	93.45	65.71	51.93	43.73	38.32
3000	265.49	140.17	98.57	77.90	65.60	57.49
4000	353.99	186.90	131.43	103.87	87.47	76.65
5000	442.49	233.62	164.29	129.84	109.34	95.81
6000	530.99	280.34	197.14	155.80	131.20	114.97
7000	619.49	327.07	230.00	181.77	153.07	134.14
8000	707.99	373.79	262.86	207.74	174.94	153.30
9000	796.48	420.52	295.72	233.70	196.81	172.46
10000	884.98	467.24	328.57	259.67	218.67	191.62
15000	1327.47	700.86	492.86	389.51	328.01	287.44
20000	1769.97	934.48	657.14	519.34	437.35	383.25
25000	2212.46	1168.10	821.43	649.18	546.68	479.06
30000	2654.95	1401.72	985.72	779.01	656.02	574.87
35000	3097.44	1635.34	1150.00	908.85	765.36	670.68
40000	3539.93	1868.96	1314.29	1038.68	874.69	766.49
45000	3982.42	2102.58	1478.58	1168.52	984.03	862.31
50000	4424.92	2336.20	1642.86	1298.35	1093.37	958.12
60000	5309.90	2803.44	1971.43	1558.03	1312.04	1149.74
70000	6194.88	3270.68	2300.01	1817.70	1530.71	1341.37
80000	7079.87	3737.92	2628.58	2077.37	1749.38	1532.99
90000	7964.85	4205.16	2957.15	2337.04	1968.06	1724.61
100000	8849.83	4672.40	3285.72	2596.71	2186.73	1916.24

Montant	NOMBRE D'ANNÉES					
	7	8	9	10	11	12
500	8.63	7.92	7.38	6.96	6.62	6.34
1000	17.25	15.84	14.76	13.92	13.24	12.68
2000	34.51	31.69	29.53	27.83	26.48	25.37
3000	51.76	47.53	44.29	41.75	39.71	38.05
4000	69.02	63.37	59.06	55.67	52.95	50.74
5000	86.27	79.22	73.82	69.58	66.19	63.42
6000	103.53	95.06	88.59	83.50	79.43	76.10
7000	120.78	110.91	103.35	97.42	92.66	88.79
8000	138.03	126.75	118.12	111.34	105.90	101.47
9000	155.29	142.59	132.88	125.25	119.14	114.16
10000	172.54	158.44	147.64	139.17	132.38	126.84
15000	258.81	237.65	221.47	208.75	198.56	190.26
20000	345.08	316.87	295.29	278.34	264.75	253.68
25000	431.35	396.09	369.11	347.92	330.94	317.10
30000	517.63	475.31	442.93	417.51	397.13	380.52
35000	603.90	554.53	516.75	487.09	463.31	443.94
40000	690.17	633.74	590.58	556.68	529.50	507.36
45000	776.44	712.96	664.40	626.26	595.69	570.78
50000	862.71	792.18	738.22	695.84	661.88	634.20
60000	1035.25	950.62	885.86	835.01	794.25	761.04
70000	1207.79	1109.05	1033.51	974.18	926.63	887.88
80000	1380.33	1267.49	1181.15	1113.35	1059.00	1014.71
90000	1552.88	1425.92	1328.80	1252.52	1191.38	1141.55
100000	1725.42	1584.36	1476.44	1391.69	1323.75	1268.39

11,50%

Montant	NOMBRE D'ANNÉES					
	1	2	3	4	5	6
500	44.31	23.42	16.49	13.04	11.00	9.65
1000	88.62	46.84	32.98	26.09	21.99	19.29
2000	177.23	93.68	65.95	52.18	43.99	38.58
3000	265.85	140.52	98.93	78.27	65.98	57.87
4000	354.46	187.36	131.90	104.36	87.97	77.16
5000	443.08	234.20	164.88	130.45	109.96	96.46
6000	531.69	281.04	197.86	156.53	131.96	115.75
7000	620.31	327.88	230.83	182.62	153.95	135.04
8000	708.92	374.72	263.81	208.71	175.94	154.33
9000	797.54	421.56	296.78	234.80	197.93	173.62
10000	886.15	468.40	329.76	260.89	219.93	192.91
15000	1329.23	702.60	494.64	391.34	329.89	289.37
20000	1772.30	936.81	659.52	521.78	439.85	385.82
25000	2215.38	1171.01	824.40	652.23	549.82	482.28
30000	2658.45	1405.21	989.28	782.67	659.78	578.73
35000	3101.53	1639.41	1154.16	913.12	769.74	675.19
40000	3544.60	1873.61	1319.04	1043.56	879.70	771.65
45000	3987.68	2107.81	1483.92	1174.01	989.67	868.10
50000	4430.75	2342.02	1648.80	1304.45	1099.63	964.56
60000	5316.90	2810.42	1978.56	1565.34	1319.56	1157.47
70000	6203.05	3278.82	2308.32	1826.23	1539.48	1350.38
80000	7089.20	3747.23	2638.08	2087.12	1759.41	1543.29
90000	7975.35	4215.63	2967.84	2348.01	1979.33	1736.20
100000	8861.51	4684.03	3297.60	2608.90	2199.26	1929.12

11,50%

Montant	NOMBRE D'ANNÉES					
	7	8	9	10	11	12
500	8.69	7.99	7.45	7.03	6.69	6.42
1000	17.39	15.98	14.90	14.06	13.38	12.83
2000	34.77	31.96	29.81	28.12	26.77	25.67
3000	52.16	47.94	44.71	42.18	40.15	38.50
4000	69.55	63.92	59.61	56.24	53.53	51.33
5000	86.93	79.90	74.52	70.30	66.92	64.17
6000	104.32	95.88	89.42	84.36	80.30	77.00
7000	121.71	111.86	104.33	98.42	93.68	89.83
8000	139.09	127.83	119.23	112.48	107.07	102.67
9000	156.48	143.81	134.13	126.54	120.45	115.50
10000	173.86	159.79	149.04	140.60	133.84	128.33
15000	260.80	239.69	223.55	210.89	200.75	192.50
20000	347.73	319.59	298.07	281.19	267.67	256.66
25000	434.66	399.48	372.59	351.49	334.59	320.83
30000	521.59	479.38	447.11	421.79	401.51	384.99
35000	608.53	559.20	521.63	492.08	468.42	449.16
40000	695.46	639.17	596.15	562.38	535.34	513.33
45000	782.39	719.07	670.66	632.68	602.26	577.49
50000	869.32	798.97	745.18	702.98	669.18	641.66
60000	1043.19	958.76	894.22	843.57	803.01	769.99
70000	1217.05	1118.56	1043.26	984.17	936.85	898.32
80000	1390.92	1278.35	1192.29	1124.76	1070.68	1026.65
90000	1564.78	1438.14	1341.33	1265.36	1204.52	1154.98
100000	1738.65	1597.94	1490.37	1405.95	1338.35	1283.32

11,75%

Montant	NOMBRE D'ANNÉES					
	1	2	3	4	5	6
500	44.37	23.48	16.55	13.11	11.06	9.71
1000	88.73	46.96	33.10	26.21	22.12	19.42
2000	177.46	93.91	66.19	52.42	44.24	38.84
3000	266.20	140.87	99.29	78.63	66.35	58.26
4000	354.93	187.83	132.38	104.85	88.47	77.68
5000	443.66	234.78	165.48	131.06	110.59	97.10
6000	532.39	281.74	198.57	157.27	132.71	116.52
7000	621.12	328.70	231.67	183.48	154.83	135.94
8000	709.86	375.65	264.76	209.69	176.95	155.36
9000	798.59	422.61	297.86	235.90	199.06	174.78
10000	887.32	469.57	330.95	262.11	221.18	194.20
15000	1330.98	704.35	496.43	393.17	331.77	291.31
20000	1774.64	939.14	661.90	524.23	442.37	388.41
25000	2218.30	1173.92	827.38	655.28	552.96	485.51
30000	2661.96	1408.70	992.85	786.34	663.55	582.61
35000	3105.62	1643.49	1158.33	917.39	774.14	679.72
40000	3549.28	1878.27	1323.80	1048.45	884.73	776.82
45000	3992.93	2113.06	1489.28	1179.51	995.32	873.92
50000	4436.59	2347.84	1654.75	1310.56	1105.92	971.02
60000	5323.91	2817.41	1985.70	1572.68	1327.10	1165.23
70000	6211.23	3286.98	2316.65	1834.79	1548.28	1359.43
80000	7098.55	3756.54	2647.60	2096.90	1769.47	1553.63
90000	7985.87	4226.11	2978.55	2359.01	1990.65	1747.84
100000	8873.19	4695.68	3309.50	2621.13	2211.83	1942.04

11,75%

Montant	NOMBRE D'ANNÉES					
	7	8	9	10	11	12
500	8.76	8.06	7.52	7.10	6.77	6.49
1000	17.52	16.12	15.04	14.20	13.53	12.98
2000	35.04	32.23	30.09	28.41	27.06	25.97
3000	52.56	48.35	45.13	42.61	40.59	38.95
4000	70.08	64.46	60.17	56.81	54.12	51.93
5000	87.60	80.58	75.22	71.01	67.65	64.92
6000	105.12	96.69	90.26	85.22	81.18	77.90
7000	122.64	112.81	105.31	99.42	94.71	90.88
8000	140.15	128.93	120.35	113.62	108.24	103.87
9000	157.67	145.04	135.39	127.83	121.77	116.85
10000	175.19	161.16	150.44	142.03	135.30	129.83
15000	262.79	241.74	225.65	213.04	202.95	194.75
20000	350.39	322.32	300.87	284.06	270.61	259.67
25000	437.98	402.89	376.09	355.07	338.26	324.58
30000	525.58	483.47	451.31	426.09	405.91	389.50
35000	613.18	564.05	526.53	497.10	473.56	454.41
40000	700.77	644.63	601.74	568.12	541.21	519.33
45000	788.37	725.21	676.96	639.13	608.86	584.25
50000	875.97	805.79	752.18	710.15	676.51	649.16
60000	1051.16	966.95	902.62	852.18	811.82	779.00
70000	1226.35	1128.11	1053.05	994.21	947.12	908.83
80000	1401.55	1289.26	1203.49	1136.24	1082.42	1038.66
90000	1576.74	1450.42	1353.92	1278.27	1217.73	1168.49
100000	1751.93	1611.58	1504.36	1420.29	1353.03	1298.33

12%

Montant	NOMBRE D'ANNÉES					
	1	2	3	4	5	6
500	44.42	23.54	16.61	13.17	11.12	9.78
1000	88.85	47.07	33.21	26.33	22.24	19.55
2000	177.70	94.15	66.43	52.67	44.49	39.10
3000	266.55	141.22	99.64	79.00	66.73	58.65
4000	355.40	188.29	132.86	105.34	88.98	78.20
5000	444.24	235.37	166.07	131.67	111.22	97.75
6000	533.09	282.44	199.29	158.00	133.47	117.30
7000	621.94	329.51	232.50	184.34	155.71	136.85
8000	710.79	376.59	265.71	210.67	177.96	156.40
9000	799.64	423.66	298.93	237.00	200.20	175.95
10000	888.49	470.73	332.14	263.34	222.44	195.50
15000	1332.73	706.10	498.21	395.01	333.67	293.25
20000	1776.98	941.47	664.29	526.68	444.89	391.00
25000	2221.22	1176.84	830.36	658.35	556.11	488.75
30000	2665.46	1412.20	996.43	790.02	667.33	586.51
35000	3109.71	1647.57	1162.50	921.68	778.56	684.26
40000	3553.95	1882.94	1328.57	1053.35	889.78	782.01
45000	3998.20	2118.31	1494.64	1185.02	1001.00	879.76
50000	4442.44	2353.67	1660.72	1316.69	1112.22	977.51
60000	5330.93	2824.41	1992.86	1580.03	1334.67	1173.01
70000	6219.42	3295.14	2325.00	1843.37	1557.11	1368.51
80000	7107.90	3765.88	2657.14	2106.71	1779.56	1564.02
90000	7996.39	4236.61	2989.29	2370.05	2002.00	1759.52
100000	8884.88	4707.35	3321.43	2633.38	2224.44	1955.02

12%

Montant	NOMBRE D'ANNÉES					
	7	8	9	10	11	12
500	8.83	8.13	7.59	7.17	6.84	6.57
1000	17.65	16.25	15.18	14.35	13.68	13.13
2000	35.31	32.51	30.37	28.69	27.36	26.27
3000	52.96	48.76	45.55	43.04	41.03	39.40
4000	70.61	65.01	60.74	57.39	54.71	52.54
5000	88.26	81.26	75.92	71.74	68.39	65.67
6000	105.92	97.52	91.11	86.08	82.07	78.81
7000	123.57	113.77	106.29	100.43	95.75	91.94
8000	141.22	130.02	121.47	114.78	109.42	105.07
9000	158.87	146.28	136.66	129.12	123.10	118.21
10000	176.53	162.53	151.84	143.47	136.78	131.34
15000	264.79	243.79	227.76	215.21	205.17	197.01
20000	353.05	325.06	303.68	286.94	273.56	262.68
25000	441.32	406.32	379.61	358.68	341.95	328.35
30000	529.58	487.59	455.53	430.41	410.34	394.03
35000	617.85	568.85	531.45	502.15	478.73	459.70
40000	706.11	650.11	607.37	573.88	547.12	525.37
45000	794.37	731.38	683.29	645.62	615.50	591.04
50000	882.64	812.64	759.21	717.35	683.89	656.71
60000	1059.16	975.17	911.05	860.83	820.67	788.05
70000	1235.69	1137.70	1062.90	1004.30	957.45	919.39
80000	1412.22	1300.23	1214.74	1147.77	1094.23	1050.74
90000	1588.75	1462.76	1366.58	1291.24	1231.01	1182.08
100000	1765.27	1625.28	1518.42	1434.71	1367.79	1313.42

12,25%

Montant	NOMBRE D'ANNÉES					
	1	2	3	4	5	6
500	44.48	23.60	16.67	13.23	11.19	9.84
1000	88.97	47.19	33.33	26.46	22.37	19.68
2000	177.93	94.38	66.67	52.91	44.74	39.36
3000	266.90	141.57	100.00	79.37	67.11	59.04
4000	355.86	188.76	133.34	105.83	89.48	78.72
5000	444.83	235.95	166.67	132.28	111.85	98.40
6000	533.79	283.14	200.00	158.74	134.23	118.08
7000	622.76	330.33	233.34	185.20	156.60	137.76
8000	711.73	377.52	266.67	211.65	178.97	157.44
9000	800.69	424.71	300.00	238.11	201.34	177.12
10000	889.66	471.90	333.34	264.57	223.71	196.80
15000	1334.49	707.85	500.01	396.85	335.56	295.21
20000	1779.32	943.81	666.68	529.14	447.42	393.61
25000	2224.14	1179.76	833.35	661.42	559.27	492.01
30000	2668.97	1415.71	1000.02	793.70	671.13	590.41
35000	3113.80	1651.66	1166.68	925.99	782.98	688.82
40000	3558.63	1887.61	1333.35	1058.27	894.84	787.22
45000	4003.46	2123.56	1500.02	1190.55	1006.69	885.62
50000	4448.29	2359.52	1666.69	1322.84	1118.55	984.02
60000	5337.95	2831.42	2000.03	1587.41	1342.26	1180.83
70000	6227.60	3303.32	2333.37	1851.97	1565.97	1377.63
80000	7117.26	3775.22	2666.71	2116.54	1789.68	1574.44
90000	8006.92	4247.13	3000.05	2381.11	2013.39	1771.24
100000	8896.58	4719.03	3333.38	2645.68	2237.10	1968.04

Montant	NOMBRE D'ANNÉES					
	7	8	9	10	11	12
500	8.89	8.20	7.66	7.25	6.91	6.64
1000	17.79	16.39	15.33	14.49	13.83	13.29
2000	35.57	32.78	30.65	28.98	27.65	26.57
3000	53.36	49.17	45.98	43.48	41.48	39.86
4000	71.15	65.56	61.30	57.97	55.31	53.14
5000	88.93	81.95	76.63	72.46	69.13	66.43
6000	106.72	98.34	91.95	86.95	82.96	79.72
7000	124.51	114.73	107.28	101.44	96.78	93.00
8000	142.29	131.12	122.60	115.94	110.61	106.29
9000	160.08	147.51	137.93	130.43	124.44	119.57
10000	177.87	163.91	153.26	144.92	138.26	132.86
15000	266.80	245.86	229.88	217.38	207.39	199.29
20000	355.73	327.81	306.51	289.84	276.53	265.72
25000	444.67	409.76	383.14	362.30	345.66	332.15
30000	533.60	491.72	459.77	434.76	414.79	398.58
35000	622.53	573.67	536.39	507.22	483.92	465.01
40000	711.47	655.62	613.02	579.68	553.05	531.44
45000	800.40	737.57	689.65	652.14	622.18	597.87
50000	889.34	819.53	766.28	724.60	691.31	664.30
60000	1067.20	983.43	919.53	869.52	829.58	797.16
70000	1245.07	1147.34	1072.79	1014.44	967.84	930.02
80000	1422.94	1311.24	1226.04	1159.36	1106.10	1062.88
90000	1600.80	1475.15	1379.30	1304.28	1244.36	1195.74
100000	1778.67	1639.05	1532.56	1449.20	1382.63	1328.60

12,50%

Montant	NOMBRE D'ANNÉES					
	1	2	3	4	5	6
500	44.54	23.65	16.73	13.29	11.25	9.91
1000	89.08	47.31	33.45	26.58	22.50	19.81
2000	178.17	94.61	66.91	53.16	45.00	39.62
3000	267.25	141.92	100.36	79.74	67.49	59.43
4000	356.33	189.23	133.81	106.32	89.99	79.24
5000	445.41	236.54	167.27	132.90	112.49	99.06
6000	534.50	283.84	200.72	159.48	134.99	118.87
7000	623.58	331.15	234.18	186.06	157.49	138.68
8000	712.66	378.46	267.63	212.64	179.98	158.49
9000	801.75	425.77	301.08	239.22	202.48	178.30
10000	890.83	473.07	334.54	265.80	224.98	198.11
15000	1336.24	709.61	501.80	398.70	337.47	297.17
20000	1781.66	946.15	669.07	531.60	449.96	396.22
25000	2227.07	1182.68	836.34	664.50	562.45	495.28
30000	2672.49	1419.22	1003.61	797.40	674.94	594.34
35000	3117.90	1655.76	1170.88	930.30	787.43	693.39
40000	3563.31	1892.29	1338.15	1063.20	899.92	792.45
45000	4008.73	2128.83	1505.41	1196.10	1012.41	891.50
50000	4454.14	2365.37	1672.68	1329.00	1124.90	990.56
60000	5344.97	2838.44	2007.22	1594.80	1349.88	1188.67
70000	6235.80	3311.51	2341.75	1860.60	1574.86	1386.78
80000	7126.63	3784.58	2676.29	2126.40	1799.84	1584.89
90000	8017.46	4257.66	3010.83	2392.20	2024.81	1783.01
100000	8908.29	4730.73	3345.36	2658.00	2249.79	1981.12

12,50%

Montant	NOMBRE D'ANNÉES					
	7	8	9	10	11	12
500	8.96	8.26	7.73	7.32	6.99	6.72
1000	17.92	16.53	15.47	14.64	13.98	13.44
2000	35.84	33.06	30.94	29.28	27.95	26.88
3000	53.76	49.59	46.40	43.91	41.93	40.32
4000	71.68	66.12	61.87	58.55	55.90	53.75
5000	89.61	82.64	77.34	73.19	69.88	67.19
6000	107.53	99.17	92.81	87.83	83.85	80.63
7000	125.45	115.70	108.27	102.46	97.83	94.07
8000	143.37	132.23	123.74	117.10	111.80	107.51
9000	161.29	148.76	139.21	131.74	125.78	120.95
10000	179.21	165.29	154.68	146.38	139.75	134.39
15000	268.82	247.93	232.01	219.56	209.63	201.58
20000	358.42	330.58	309.35	292.75	279.51	268.77
25000	448.03	413.22	386.69	365.94	349.39	335.96
30000	537.64	495.86	464.03	439.13	419.26	403.16
35000	627.24	578.51	541.36	512.32	489.14	470.35
40000	716.85	661.15	618.70	585.50	559.02	537.54
45000	806.46	743.80	696.04	658.69	628.89	604.74
50000	896.06	826.44	773.38	731.88	698.77	671.93
60000	1075.27	991.73	928.05	878.26	838.53	806.31
70000	1254.49	1157.02	1082.73	1024.63	978.28	940.70
80000	1433.70	1322.30	1237.40	1171.01	1118.03	1075.09
90000	1612.91	1487.59	1392.08	1317.39	1257.79	1209.47
100000	1792.12	1652.88	1546.76	1463.76	1397.54	1343.86

12,75%

Montant	NOMBRE D'ANNÉES					
	1	2	3	4	5	6
500	44.60	23.71	16.79	13.35	11.31	9.97
1000	89.20	47.42	33.57	26.70	22.63	19.94
2000	178.40	94.85	67.15	53.41	45.25	39.88
3000	267.60	142.27	100.72	80.11	67.88	59.83
4000	356.80	189.70	134.29	106.81	90.50	79.77
5000	446.00	237.12	167.87	133.52	113.13	99.71
6000	535.20	284.55	201.44	160.22	135.75	119.65
7000	624.40	331.97	235.02	186.93	158.38	139.60
8000	713.60	379.40	268.59	213.63	181.00	159.54
9000	802.80	426.82	302.16	240.33	203.63	179.48
10000	892.00	474.24	335.74	267.04	226.25	199.42
15000	1338.00	711.37	503.60	400.55	339.38	299.14
20000	1784.00	948.49	671.47	534.07	452.51	398.85
25000	2230.00	1185.61	839.34	667.59	565.63	498.56
30000	2676.00	1422.73	1007.21	801.11	678.76	598.27
35000	3122.00	1659.86	1175.08	934.63	791.89	697.98
40000	3568.00	1896.98	1342.95	1068.14	905.01	797.70
45000	4014.00	2134.10	1510.81	1201.66	1018.14	897.41
50000	4460.00	2371.22	1678.68	1335.18	1131.27	997.12
60000	5352.00	2845.47	2014.42	1602.21	1357.52	1196.54
70000	6244.00	3319.71	2350.16	1869.25	1583.77	1395.97
80000	7136.00	3793.96	2685.89	2136.29	1810.02	1595.39
90000	8028.00	4268.20	3021.63	2403.32	2036.28	1794.82
100000	8920.00	4742.45	3357.37	2670.36	2262.53	1994.24

12,75%

Montant	NOMBRE D'ANNÉES					
	7	8	9	10	11	12
500	9.03	8.33	7.81	7.39	7.06	6.80
1000	18.06	16.67	15.61	14.78	14.13	13.59
2000	36.11	33.34	31.22	29.57	28.25	27.18
3000	54.17	50.00	46.83	44.35	42.38	40.78
4000	72.23	66.67	62.44	59.14	56.50	54.37
5000	90.28	83.34	78.05	73.92	70.63	67.96
6000	108.34	100.01	93.66	88.70	84.75	81.55
7000	126.39	116.67	109.27	103.49	98.88	95.14
8000	144.45	133.34	124.88	118.27	113.00	108.74
9000	162.51	150.01	140.49	133.06	127.13	122.33
10000	180.56	166.68	156.10	147.84	141.25	135.92
15000	270.84	250.02	234.15	221.76	211.88	203.88
20000	361.13	333.35	312.20	295.68	282.51	271.84
25000	451.41	416.69	390.26	369.60	353.13	339.80
30000	541.69	500.03	468.31	443.52	423.76	407.76
35000	631.97	583.37	546.36	517.44	494.39	475.72
40000	722.25	666.71	624.41	591.36	565.02	543.68
45000	812.53	750.05	702.46	665.28	635.64	611.64
50000	902.82	833.39	780.51	739.20	706.27	679.60
60000	1083.38	1000.06	936.61	887.04	847.52	815.52
70000	1263.94	1166.74	1092.72	1034.88	988.78	951.44
80000	1444.51	1333.42	1248.82	1182.72	1130.03	1087.36
90000	1625.07	1500.10	1404.92	1330.56	1271.28	1223.28
100000	1805.63	1666.77	1561.02	1478.40	1412.54	1359.20

13%

| Montant | NOMBRE D'ANNÉES | | | | | |
	1	2	3	4	5	6
500	44.66	23.77	16.85	13.41	11.38	10.04
1000	89.32	47.54	33.69	26.83	22.75	20.07
2000	178.63	95.08	67.39	53.65	45.51	40.15
3000	267.95	142.63	101.08	80.48	68.26	60.22
4000	357.27	190.17	134.78	107.31	91.01	80.30
5000	446.59	237.71	168.47	134.14	113.77	100.37
6000	535.90	285.25	202.16	160.96	136.52	120.44
7000	625.22	332.79	235.86	187.79	159.27	140.52
8000	714.54	380.33	269.55	214.62	182.02	160.59
9000	803.86	427.88	303.25	241.45	204.78	180.67
10000	893.17	475.42	336.94	268.27	227.53	200.74
15000	1339.76	713.13	505.41	402.41	341.30	301.11
20000	1786.35	950.84	673.88	536.55	455.06	401.48
25000	2232.93	1188.55	842.35	670.69	568.83	501.85
30000	2679.52	1426.25	1010.82	804.82	682.59	602.22
35000	3126.10	1663.96	1179.29	938.96	796.36	702.59
40000	3572.69	1901.67	1347.76	1073.10	910.12	802.96
45000	4019.28	2139.38	1516.23	1207.24	1023.89	903.33
50000	4465.86	2377.09	1684.70	1341.37	1137.65	1003.71
60000	5359.04	2852.51	2021.64	1609.65	1365.18	1204.45
70000	6252.21	3327.93	2358.58	1877.92	1592.72	1405.19
80000	7145.38	3803.35	2695.52	2146.20	1820.25	1605.93
90000	8038.55	4278.76	3032.46	2414.47	2047.78	1806.67
100000	8931.73	4754.18	3369.40	2682.75	2275.31	2007.41

13%

Montant	NOMBRE D'ANNÉES					
	7	8	9	10	11	12
500	9.10	8.40	7.88	7.47	7.14	6.87
1000	18.19	16.81	15.75	14.93	14.28	13.75
2000	36.38	33.61	31.51	29.86	28.55	27.49
3000	54.58	50.42	47.26	44.79	42.83	41.24
4000	72.77	67.23	63.01	59.72	57.10	54.99
5000	90.96	84.04	78.77	74.66	71.38	68.73
6000	109.15	100.84	94.52	89.59	85.66	82.48
7000	127.34	117.65	110.28	104.52	99.93	96.22
8000	145.54	134.46	126.03	119.45	114.21	109.97
9000	163.73	151.27	141.78	134.38	128.48	123.72
10000	181.92	168.07	157.54	149.31	142.76	137.46
15000	272.88	252.11	236.30	223.97	214.14	206.19
20000	363.84	336.15	315.07	298.62	285.52	274.93
25000	454.80	420.18	393.84	373.28	356.90	343.66
30000	545.76	504.22	472.61	447.93	428.28	412.39
35000	636.72	588.25	551.38	522.59	499.66	481.12
40000	727.68	672.29	630.14	597.24	571.04	549.85
45000	818.64	756.33	708.91	671.90	642.42	618.58
50000	909.60	840.36	787.68	746.55	713.81	687.31
60000	1091.52	1008.44	945.22	895.86	856.57	824.78
70000	1273.44	1176.51	1102.75	1045.18	999.33	962.24
80000	1455.36	1344.58	1260.29	1194.49	1142.09	1099.70
90000	1637.28	1512.65	1417.82	1343.80	1284.85	1237.16
100000	1819.20	1680.73	1575.36	1493.11	1427.61	1374.63

13,25%

Montant	NOMBRE D'ANNÉES					
	1	2	3	4	5	6
500	44.72	23.83	16.91	13.48	11.44	10.10
1000	89.43	47.66	33.81	26.95	22.88	20.21
2000	178.87	95.32	67.63	53.90	45.76	40.41
3000	268.30	142.98	101.44	80.86	68.64	60.62
4000	357.74	190.64	135.26	107.81	91.53	80.83
5000	447.17	238.30	169.07	134.76	114.41	101.03
6000	536.61	285.96	202.89	161.71	137.29	121.24
7000	626.04	333.62	236.70	188.66	160.17	141.44
8000	715.48	381.27	270.52	215.61	183.05	161.65
9000	804.91	428.93	304.33	242.57	205.93	181.86
10000	894.35	476.59	338.14	269.52	228.81	202.06
15000	1341.52	714.89	507.22	404.28	343.22	303.09
20000	1788.69	953.19	676.29	539.03	457.63	404.13
25000	2235.87	1191.48	845.36	673.79	572.03	505.16
30000	2683.04	1429.78	1014.43	808.55	686.44	606.19
35000	3130.21	1668.08	1183.51	943.31	800.84	707.22
40000	3577.38	1906.37	1352.58	1078.07	915.25	808.25
45000	4024.56	2144.67	1521.65	1212.83	1029.66	909.28
50000	4471.73	2382.97	1690.72	1347.59	1144.06	1010.31
60000	5366.08	2859.56	2028.87	1617.10	1372.88	1212.38
70000	6260.42	3336.15	2367.01	1886.62	1601.69	1414.44
80000	7154.77	3812.75	2705.16	2156.14	1830.50	1616.50
90000	8049.11	4289.34	3043.30	2425.66	2059.31	1818.57
100000	8943.46	4765.93	3381.45	2695.17	2288.13	2020.63

13,25%

Montant	NOMBRE D'ANNÉES					
	7	8	9	10	11	12
500	9.16	8.47	7.95	7.54	7.21	6.95
1000	18.33	16.95	15.90	15.08	14.43	13.90
2000	36.66	33.89	31.80	30.16	28.86	27.80
3000	54.98	50.84	47.69	45.24	43.28	41.70
4000	73.31	67.79	63.59	60.32	57.71	55.61
5000	91.64	84.74	79.49	75.39	72.14	69.51
6000	109.97	101.68	95.39	90.47	86.57	83.41
7000	128.30	118.63	111.28	105.55	100.99	97.31
8000	146.63	135.58	127.18	120.63	115.42	111.21
9000	164.95	152.53	143.08	135.71	129.85	125.11
10000	183.28	169.47	158.98	150.79	144.28	139.01
15000	274.92	254.21	238.46	226.18	216.41	208.52
20000	366.56	338.95	317.95	301.58	288.55	278.03
25000	458.20	423.69	397.44	376.97	360.69	347.53
30000	549.04	500.42	476.93	452.37	432.83	417.04
35000	641.49	593.16	556.42	527.76	504.97	486.55
40000	733.13	677.90	635.90	603.16	577.10	556.05
45000	824.77	762.63	715.39	678.55	649.24	625.56
50000	916.41	847.37	794.88	753.94	721.38	695.07
60000	1099.69	1016.84	953.86	904.73	865.66	834.08
70000	1282.97	1186.32	1112.83	1055.52	1009.93	973.09
80000	1466.25	1355.79	1271.81	1206.31	1154.21	1112.10
90000	1649.53	1525.27	1430.79	1357.10	1298.48	1251.12
100000	1832.82	1694.74	1589.76	1507.89	1442.76	1390.13

13,50%

Montant	NOMBRE D'ANNÉES					
	1	2	3	4	5	6
500	44.78	23.89	16.97	13.54	11.50	10.17
1000	89.55	47.78	33.94	27.08	23.01	20.34
2000	179.10	95.55	67.87	54.15	46.02	40.68
3000	268.66	143.33	101.81	81.23	69.03	61.02
4000	358.21	191.11	135.74	108.31	92.04	81.36
5000	447.76	238.89	169.68	135.38	115.05	101.69
6000	537.31	286.66	203.61	162.46	138.06	122.03
7000	626.86	334.44	237.55	189.53	161.07	142.37
8000	716.42	382.22	271.48	216.61	184.08	162.71
9000	805.97	429.99	305.42	243.69	207.09	183.05
10000	895.52	477.77	339.35	270.76	230.10	203.39
15000	1343.28	716.66	509.03	406.14	345.15	305.08
20000	1791.04	955.54	678.71	541.53	460.20	406.78
25000	2238.80	1194.43	848.38	676.91	575.25	508.47
30000	2686.56	1433.31	1018.06	812.29	690.30	610.17
35000	3134.32	1672.20	1187.74	947.67	805.34	711.86
40000	3582.08	1911.08	1357.41	1083.05	920.39	813.56
45000	4029.84	2149.97	1527.09	1218.43	1035.44	915.25
50000	4477.60	2388.85	1696.76	1353.82	1150.49	1016.95
60000	5373.12	2866.62	2036.12	1624.58	1380.59	1220.34
70000	6268.64	3344.39	2375.47	1895.34	1610.69	1423.73
80000	7164.16	3822.16	2714.82	2166.11	1840.79	1627.12
90000	8059.68	4299.93	3054.18	2436.87	2070.89	1830.51
100000	8955.20	4777.70	3393.53	2707.63	2300.98	2033.90

13,50%

Montant	NOMBRE D'ANNÉES					
	7	8	9	10	11	12
500	9.23	8.54	8.02	7.61	7.29	7.03
1000	18.46	17.09	16.04	15.23	14.58	14.06
2000	36.93	34.18	32.08	30.45	29.16	28.11
3000	55.39	51.26	48.13	45.68	43.74	42.17
4000	73.86	68.35	64.17	60.91	58.32	56.23
5000	92.32	85.44	80.21	76.14	72.90	70.29
6000	110.79	102.53	96.25	91.36	87.48	84.34
7000	129.25	119.62	112.30	106.59	102.06	98.40
8000	147.72	136.71	128.34	121.82	116.64	112.46
9000	166.18	153.79	144.38	137.05	131.22	126.51
10000	184.65	170.88	160.42	152.27	145.80	140.57
15000	276.97	256.32	240.63	228.41	218.70	210.86
20000	369.30	341.76	320.85	304.55	291.60	281.14
25000	461.62	427.20	401.06	380.69	364.50	351.43
30000	553.95	512.64	481.27	456.82	437.40	421.72
35000	646.27	598.09	561.48	532.96	510.30	492.00
40000	738.60	683.53	641.69	609.10	583.19	562.29
45000	830.92	768.97	721.90	685.23	656.09	632.57
50000	923.24	854.41	802.12	761.37	728.99	702.86
60000	1107.89	1025.29	962.54	913.65	874.79	843.43
70000	1292.54	1196.17	1122.96	1065.92	1020.59	984.00
80000	1477.19	1367.05	1283.39	1218.19	1166.39	1124.57
90000	1661.84	1537.93	1443.81	1370.47	1312.19	1265.15
100000	1846.49	1708.82	1604.23	1522.74	1457.99	1405.72

13,75%

Montant	NOMBRE D'ANNÉES					
	1	2	3	4	5	6
500	44.83	23.95	17.03	13.60	11.57	10.24
1000	89.67	47.89	34.06	27.20	23.14	20.47
2000	179.34	95.79	68.11	54.40	46.28	40.94
3000	269.01	143.68	102.17	81.60	69.42	61.42
4000	358.68	191.58	136.23	108.80	92.56	81.89
5000	448.35	239.47	170.28	136.01	115.69	102.36
6000	538.02	287.37	204.34	163.21	138.83	122.83
7000	627.69	335.26	238.39	190.41	161.97	143.30
8000	717.36	383.16	272.45	217.61	185.11	163.78
9000	807.03	431.05	306.51	244.81	208.25	184.25
10000	896.70	478.95	340.56	272.01	231.39	204.72
15000	1345.04	718.42	510.84	408.02	347.08	307.08
20000	1793.39	957.90	681.13	544.02	462.78	409.44
25000	2241.74	1197.37	851.41	680.03	578.47	511.80
30000	2690.09	1436.85	1021.69	816.04	694.17	614.16
35000	3138.43	1676.32	1191.97	952.04	809.86	716.52
40000	3586.78	1915.79	1362.25	1088.05	925.55	818.88
45000	4035.13	2155.27	1532.53	1224.06	1041.25	921.25
50000	4483.48	2394.74	1702.82	1360.06	1156.94	1023.61
60000	5380.17	2873.69	2043.38	1632.07	1388.33	1228.33
70000	6276.87	3352.64	2383.94	1904.09	1619.72	1433.05
80000	7173.56	3831.59	2724.51	2176.10	1851.11	1637.77
90000	8070.26	4310.54	3065.07	2448.11	2082.50	1842.49
100000	8966.95	4789.49	3405.63	2720.12	2313.88	2047.21

13,75%

Montant	NOMBRE D'ANNÉES					
	7	8	9	10	11	12
500	9.30	8.61	8.09	7.69	7.37	7.11
1000	18.60	17.23	16.19	15.38	14.73	14.21
2000	37.20	34.46	32.38	30.75	29.47	28.43
3000	55.81	51.69	48.56	46.13	44.20	42.64
4000	74.41	68.92	64.75	61.51	58.93	56.86
5000	93.01	86.15	80.94	76.88	73.66	71.07
6000	111.61	103.38	97.13	92.26	88.40	85.28
7000	130.22	120.61	113.31	107.64	103.13	99.50
8000	148.82	137.84	129.50	123.01	117.86	113.71
9000	167.42	155.07	145.69	138.39	132.60	127.92
10000	186.02	172.30	161.88	153.77	147.33	142.14
15000	279.03	258.44	242.82	230.65	220.99	213.21
20000	372.04	344.59	323.75	307.53	294.66	284.28
25000	465.05	430.74	404.69	384.42	368.32	355.35
30000	558.07	516.89	485.63	461.30	441.99	426.41
35000	651.08	603.03	566.57	538.18	515.65	497.48
40000	744.09	689.18	647.51	615.07	589.32	568.55
45000	837.10	775.33	728.45	691.95	662.98	639.62
50000	930.11	861.48	809.38	768.83	736.64	710.69
60000	1116.13	1033.77	971.26	922.60	883.97	852.83
70000	1302.15	1206.07	1133.14	1076.37	1031.30	994.97
80000	1488.17	1378.36	1295.01	1230.13	1178.63	1137.11
90000	1674.20	1550.66	1456.89	1383.90	1325.96	1279.24
100000	1860.22	1722.95	1618.77	1537.67	1473.29	1421.38

14%

Montant	NOMBRE D'ANNÉES					
	1	2	3	4	5	6
500	44.89	24.01	17.09	13.66	11.63	10.30
1000	89.79	48.01	34.18	27.33	23.27	20.61
2000	179.57	96.03	68.36	54.65	46.54	41.21
3000	269.36	144.04	102.53	81.98	69.80	61.82
4000	359.15	192.05	136.71	109.31	93.07	82.42
5000	448.94	240.06	170.89	136.63	116.34	103.03
6000	538.72	288.08	205.07	163.96	139.61	123.63
7000	628.51	336.09	239.24	191.29	162.88	144.24
8000	718.30	384.10	273.42	218.61	186.15	164.85
9000	808.08	432.12	307.60	245.94	209.41	185.45
10000	897.87	480.13	341.78	273.26	232.68	206.06
15000	1346.81	720.19	512.66	409.90	349.02	309.09
20000	1795.74	960.26	683.55	546.53	465.37	412.11
25000	2244.68	1200.32	854.44	683.16	581.71	515.14
30000	2693.61	1440.39	1025.33	819.79	698.05	618.17
35000	3142.55	1680.45	1196.22	956.43	814.39	721.20
40000	3591.48	1920.52	1367.11	1093.06	930.73	824.23
45000	4040.42	2160.58	1537.99	1229.69	1047.07	927.26
50000	4489.36	2400.64	1708.88	1366.32	1163.41	1030.29
60000	5387.23	2880.77	2050.66	1639.59	1396.10	1236.34
70000	6285.10	3360.90	2392.43	1912.85	1628.78	1442.40
80000	7182.97	3841.03	2734.21	2186.12	1861.46	1648.46
90000	8080.84	4321.16	3075.99	2459.38	2094.14	1854.52
100000	8978.71	4801.29	3417.76	2732.65	2326.83	2060.57

Montant	NOMBRE D'ANNÉES					
	7	8	9	10	11	12
500	9.37	8.69	8.17	7.76	7.44	7.19
1000	18.74	17.37	16.33	15.53	14.89	14.37
2000	37.48	34.74	32.67	31.05	29.77	28.74
3000	56.22	52.11	49.00	46.58	44.66	43.11
4000	74.96	69.49	65.33	62.11	59.55	57.49
5000	93.70	86.86	81.67	77.63	74.43	71.86
6000	112.44	104.23	98.00	93.16	89.32	86.23
7000	131.18	121.60	114.34	108.69	104.21	100.60
8000	149.92	138.97	130.67	124.21	119.09	114.97
9000	168.66	156.34	147.00	139.74	133.98	129.34
10000	187.40	173.72	163.34	155.27	148.87	143.71
15000	281.10	260.57	245.01	232.90	223.30	215.57
20000	374.80	347.43	326.67	310.53	297.73	287.43
25000	468.50	434.29	408.34	388.17	372.17	359.28
30000	562.20	521.15	490.01	465.80	446.60	431.14
35000	655.90	608.00	571.68	543.43	521.03	502.99
40000	749.60	694.86	653.35	621.07	595.47	574.85
45000	843.30	781.72	735.02	698.70	669.90	646.71
50000	937.00	868.58	816.69	776.33	744.33	718.56
60000	1124.40	1042.29	980.02	931.60	893.20	862.28
70000	1311.80	1216.01	1143.36	1086.87	1042.07	1005.99
80000	1499.20	1389.72	1306.70	1242.13	1190.93	1149.70
90000	1686.60	1563.44	1470.03	1397.40	1339.80	1293.41
100000	1874.00	1737.15	1633.37	1552.66	1488.67	1437.13

14,25%

Montant	NOMBRE D'ANNÉES					
	1	2	3	4	5	6
500	44.95	24.07	17.15	13.73	11.70	10.37
1000	89.90	48.13	34.30	27.45	23.40	20.74
2000	179.81	96.26	68.60	54.90	46.80	41.48
3000	269.71	144.39	102.90	82.36	70.19	62.22
4000	359.62	192.52	137.20	109.81	93.59	82.96
5000	449.52	240.66	171.50	137.26	116.99	103.70
6000	539.43	288.79	205.80	164.71	140.39	124.44
7000	629.33	336.92	240.09	192.16	163.79	145.18
8000	719.24	385.05	274.39	219.62	187.18	165.92
9000	809.14	433.18	308.69	247.07	210.58	186.66
10000	899.05	481.31	342.99	274.52	233.98	207.40
15000	1348.57	721.97	514.49	411.78	350.97	311.10
20000	1798.10	962.62	685.98	549.04	467.96	414.80
25000	2247.62	1203.28	857.48	686.30	584.95	518.50
30000	2697.14	1443.93	1028.98	823.56	701.94	622.20
35000	3146.67	1684.59	1200.47	960.82	818.93	725.89
40000	3596.19	1925.24	1371.97	1098.08	935.92	829.59
45000	4045.72	2165.90	1543.46	1235.34	1052.91	933.29
50000	4495.24	2406.55	1714.96	1372.60	1169.90	1036.99
60000	5394.29	2887.86	2057.95	1647.12	1403.88	1244.39
70000	6293.34	3369.17	2400.94	1921.64	1637.86	1451.79
80000	7192.38	3850.49	2743.93	2196.16	1871.85	1659.19
90000	8091.43	4331.80	3086.93	2470.68	2105.83	1866.59
100000	8990.48	4813.11	3429.92	2745.20	2339.81	2073.98

14,25%

Montant	NOMBRE D'ANNÉES					
	7	8	9	10	11	12
500	9.44	8.76	8.24	7.84	7.52	7.26
1000	18.88	17.51	16.48	15.68	15.04	14.53
2000	37.76	35.03	32.96	31.35	30.08	29.06
3000	56.64	52.54	49.44	47.03	45.12	43.59
4000	75.51	70.06	65.92	62.71	60.16	58.12
5000	94.39	87.57	82.40	78.39	75.21	72.65
6000	113.27	105.08	98.88	94.06	90.25	87.18
7000	132.15	122.60	115.36	109.74	105.29	101.71
8000	151.03	140.11	131.84	125.42	120.33	116.24
9000	169.91	157.63	148.32	141.10	135.37	130.77
10000	188.78	175.14	164.80	156.77	150.41	145.29
15000	283.18	262.71	247.21	235.16	225.62	217.94
20000	377.57	350.28	329.61	313.55	300.82	290.59
25000	471.96	437.85	412.01	391.93	376.03	363.24
30000	566.35	525.42	494.41	470.32	451.24	435.88
35000	660.74	612.99	576.81	548.71	526.44	508.53
40000	755.14	700.56	659.22	627.09	601.65	581.18
45000	849.53	788.13	741.62	705.48	676.85	653.83
50000	943.92	875.70	824.02	783.87	752.06	726.47
60000	1132.70	1050.84	988.82	940.64	902.47	871.77
70000	1321.49	1225.99	1153.63	1097.41	1052.88	1017.06
80000	1510.27	1401.13	1318.43	1254.18	1203.29	1162.36
90000	1699.05	1576.27	1483.23	1410.96	1353.71	1307.65
100000	1887.84	1751.41	1648.04	1567.73	1504.12	1452.95

14,50%

Montant	NOMBRE D'ANNÉES					
	1	2	3	4	5	6
500	45.01	24.12	17.21	13.79	11.76	10.44
1000	90.02	48.25	34.42	27.58	23.53	20.87
2000	180.05	96.50	68.84	55.16	47.06	41.75
3000	270.07	144.75	103.26	82.73	70.58	62.62
4000	360.09	193.00	137.68	110.31	94.11	83.50
5000	450.11	241.25	172.10	137.89	117.64	104.37
6000	540.14	289.50	206.53	165.47	141.17	125.25
7000	630.16	337.75	240.95	193.05	164.70	146.12
8000	720.18	386.00	275.37	220.62	188.23	167.00
9000	810.20	434.24	309.79	248.20	211.75	187.87
10000	900.23	482.49	344.21	275.78	235.28	208.74
15000	1350.34	723.74	516.31	413.67	352.92	313.12
20000	1800.45	964.99	688.42	551.56	470.57	417.49
25000	2250.56	1206.24	860.52	689.45	588.21	521.86
30000	2700.68	1447.48	1032.63	827.34	705.85	626.23
35000	3150.79	1688.73	1204.73	965.23	823.49	730.60
40000	3600.90	1929.98	1376.84	1103.12	941.13	834.98
45000	4051.01	2171.22	1548.94	1241.01	1058.77	939.35
50000	4501.13	2412.47	1721.05	1378.90	1176.41	1043.72
60000	5401.35	2894.97	2065.26	1654.68	1411.70	1252.47
70000	6301.58	3377.46	2409.47	1930.46	1646.98	1461.21
80000	7201.80	3859.95	2753.68	2206.24	1882.26	1669.95
90000	8102.03	4342.45	3097.89	2482.02	2117.55	1878.70
100000	9002.25	4824.94	3442.10	2757.80	2352.83	2087.44

14,50%

Montant	NOMBRE D'ANNÉES					
	7	8	9	10	11	12
500	9.51	8.83	8.31	7.91	7.60	7.34
1000	19.02	17.66	16.63	15.83	15.20	14.69
2000	38.03	35.31	33.26	31.66	30.39	29.38
3000	57.05	52.97	49.88	47.49	45.59	44.07
4000	76.07	70.63	66.51	63.31	60.79	58.75
5000	95.09	88.29	83.14	79.14	75.98	73.44
6000	114.10	105.94	99.77	94.97	91.18	88.13
7000	133.12	123.60	116.39	110.80	106.38	102.82
8000	152.14	141.26	133.02	126.63	121.57	117.51
9000	171.16	158.92	149.65	142.46	136.77	132.20
10000	190.17	176.57	166.28	158.29	151.96	146.88
15000	285.26	264.86	249.42	237.43	227.95	220.33
20000	380.35	353.15	332.55	316.57	303.93	293.77
25000	475.43	441.43	415.69	395.72	379.91	367.21
30000	570.52	529.72	498.83	474.86	455.89	440.65
35000	665.61	618.00	581.97	554.00	531.88	514.10
40000	760.69	706.29	665.11	633.15	607.86	587.54
45000	855.78	794.58	748.25	712.29	683.84	660.98
50000	950.87	882.86	831.39	791.43	759.82	734.42
60000	1141.04	1059.44	997.66	949.72	911.79	881.31
70000	1331.21	1236.01	1163.94	1108.01	1063.75	1028.19
80000	1521.38	1412.58	1330.22	1266.29	1215.72	1175.08
90000	1711.56	1589.15	1496.49	1424.58	1367.68	1321.96
100000	1901.73	1765.73	1662.77	1582.87	1519.64	1468.85

14,75%

Montant	NOMBRE D'ANNÉES					
	1	2	3	4	5	6
500	45.07	24.18	17.27	13.85	11.83	10.50
1000	90.14	48.37	34.54	27.70	23.66	21.01
2000	180.28	96.74	69.09	55.41	47.32	42.02
3000	270.42	145.10	103.63	83.11	70.98	63.03
4000	360.56	193.47	138.17	110.82	94.64	84.04
5000	450.70	241.84	172.72	138.52	118.29	105.05
6000	540.84	290.21	207.26	166.23	141.95	126.06
7000	630.98	338.58	241.80	193.93	165.61	147.07
8000	721.12	386.94	276.34	221.63	189.27	168.08
9000	811.26	435.31	310.89	249.34	212.93	189.09
10000	901.40	483.68	345.43	277.04	236.59	210.09
15000	1352.11	725.52	518.15	415.56	354.88	315.14
20000	1802.81	967.36	690.86	554.08	473.18	420.19
25000	2253.51	1209.20	863.58	692.60	591.47	525.24
30000	2704.21	1451.04	1036.29	831.13	709.77	630.28
35000	3154.91	1692.88	1209.01	969.65	828.06	735.33
40000	3605.62	1934.72	1381.72	1108.17	946.36	840.38
45000	4056.32	2176.56	1554.44	1246.69	1064.65	945.43
50000	4507.02	2418.40	1727.15	1385.21	1182.95	1050.47
60000	5408.42	2902.08	2072.58	1662.25	1419.53	1260.57
70000	6309.83	3385.76	2418.01	1939.29	1656.12	1470.66
80000	7211.23	3869.44	2763.44	2216.33	1892.71	1680.76
90000	8112.63	4353.12	3108.87	2493.38	2129.30	1890.85
100000	9014.04	4836.80	3454.30	2770.42	2365.89	2100.95

14,75%

Montant	NOMBRE D'ANNÉES					
	7	8	9	10	11	12
500	9.58	8.90	8.39	7.99	7.68	7.42
1000	19.16	17.80	16.78	15.98	15.35	14.85
2000	38.31	35.60	33.55	31.96	30.70	29.70
3000	57.47	53.40	50.33	47.94	46.06	44.54
4000	76.63	71.20	67.10	63.92	61.41	59.39
5000	95.78	89.01	83.88	79.90	76.76	74.24
6000	114.94	106.81	100.65	95.88	92.11	89.09
7000	134.10	124.61	117.43	111.87	107.47	103.94
8000	153.25	142.41	134.21	127.85	122.82	118.79
9000	172.41	160.21	150.98	143.83	138.17	133.63
10000	191.57	178.01	167.76	159.81	153.52	148.48
15000	287.35	267.02	251.64	239.71	230.29	222.72
20000	383.14	356.02	335.51	319.61	307.05	296.97
25000	478.92	445.03	419.39	399.52	383.81	371.21
30000	574.70	534.03	503.27	479.42	460.57	445.45
35000	670.49	623.04	587.15	559.33	537.34	519.69
40000	766.27	712.04	671.03	639.23	614.10	593.93
45000	862.05	801.05	754.91	719.13	690.86	668.17
50000	957.84	890.05	838.79	799.04	767.62	742.41
60000	1149.41	1068.06	1006.54	958.84	921.15	890.90
70000	1340.97	1246.07	1174.30	1118.65	1074.67	1039.38
80000	1532.54	1424.08	1342.06	1278.46	1228.19	1187.86
90000	1724.11	1602.09	1509.81	1438.27	1381.72	1336.34
100000	1915.68	1780.10	1677.57	1598.07	1535.24	1484.83

15%

Montant	NOMBRE D'ANNÉES					
	1	2	3	4	5	6
500	45.13	24.24	17.33	13.92	11.89	10.57
1000	90.26	48.49	34.67	27.83	23.79	21.15
2000	180.52	96.97	69.33	55.66	47.58	42.29
3000	270.77	145.46	104.00	83.49	71.37	63.44
4000	361.03	193.95	138.66	111.32	95.16	84.58
5000	451.29	242.43	173.33	139.15	118.95	105.73
6000	541.55	290.92	207.99	166.98	142.74	126.87
7000	631.81	339.41	242.66	194.82	166.53	148.02
8000	722.07	387.89	277.32	222.65	190.32	169.16
9000	812.32	436.38	311.99	250.48	214.11	190.31
10000	902.58	484.87	346.65	278.31	237.90	211.45
15000	1353.87	727.30	519.98	417.46	356.85	317.18
20000	1805.17	969.73	693.31	556.61	475.80	422.90
25000	2256.46	1212.17	866.63	695.77	594.75	528.63
30000	2707.75	1454.60	1039.96	834.92	713.70	634.35
35000	3159.04	1697.03	1213.29	974.08	832.65	740.08
40000	3610.33	1939.47	1386.61	1113.23	951.60	845.80
45000	4061.62	2181.90	1559.94	1252.38	1070.55	951.53
50000	4512.92	2424.33	1733.27	1391.54	1189.50	1057.25
60000	5415.50	2909.20	2079.92	1669.84	1427.40	1268.70
70000	6318.08	3394.07	2426.57	1948.15	1665.30	1480.15
80000	7220.66	3878.93	2773.23	2226.46	1903.19	1691.60
90000	8123.25	4363.80	3119.88	2504.77	2141.09	1903.05
100000	9025.83	4848.66	3466.53	2783.07	2378.99	2114.50

15%

Montant	NOMBRE D'ANNÉES					
	7	8	9	10	11	12
500	9.65	8.97	8.46	8.07	7.75	7.50
1000	19.30	17.95	16.92	16.13	15.51	15.01
2000	38.59	35.89	33.85	32.27	31.02	30.02
3000	57.89	53.84	50.77	48.40	46.53	45.03
4000	77.19	71.78	67.70	64.53	62.04	60.04
5000	96.48	89.73	84.62	80.67	77.55	75.04
6000	115.78	107.67	101.55	96.80	93.05	90.05
7000	135.08	125.62	118.47	112.93	108.56	105.06
8000	154.37	143.56	135.39	129.07	124.07	120.07
9000	173.67	161.51	152.32	145.20	139.58	135.08
10000	192.97	179.45	169.24	161.33	155.09	150.09
15000	289.45	269.18	253.87	242.00	232.64	225.13
20000	385.94	358.91	338.49	322.67	310.18	300.18
25000	482.42	448.64	423.11	403.34	387.73	375.22
30000	578.90	538.36	507.73	484.00	465.27	450.26
35000	675.39	628.09	592.35	564.67	542.82	525.31
40000	771.87	717.82	676.97	645.34	620.37	600.35
45000	868.35	807.54	761.60	726.01	697.91	675.39
50000	964.84	897.27	846.22	806.67	775.46	750.44
60000	1157.81	1076.72	1015.46	968.01	930.55	900.53
70000	1350.77	1256.18	1184.70	1129.34	1085.64	1050.61
80000	1543.74	1435.63	1353.95	1290.68	1240.73	1200.70
90000	1736.71	1615.09	1523.19	1452.01	1395.82	1350.79
100000	1929.68	1794.54	1692.43	1613.35	1550.91	1500.88

15,25%

Montant	NOMBRE D'ANNÉES					
	1	2	3	4	5	6
500	45.19	24.30	17.39	13.98	11.96	10.64
1000	90.38	48.61	34.79	27.96	23.92	21.28
2000	180.75	97.21	69.58	55.92	47.84	42.56
3000	271.13	145.82	104.36	83.87	71.76	63.84
4000	361.51	194.42	139.15	111.83	95.69	85.12
5000	451.88	243.03	173.94	139.79	119.61	106.41
6000	542.26	291.63	208.73	167.75	143.53	127.69
7000	632.63	340.24	243.52	195.70	167.45	148.97
8000	723.01	388.84	278.30	223.66	191.37	170.25
9000	813.39	437.45	313.09	251.62	215.29	191.53
10000	903.76	486.06	347.88	279.58	239.21	212.81
15000	1355.64	729.08	521.82	419.36	358.82	319.22
20000	1807.53	972.11	695.76	559.15	478.43	425.62
25000	2259.41	1215.14	869.70	698.94	598.03	532.03
30000	2711.29	1458.17	1043.64	838.73	717.64	638.43
35000	3163.17	1701.19	1217.58	978.52	837.25	744.84
40000	3615.05	1944.22	1391.52	1118.31	956.85	851.24
45000	4066.93	2187.25	1565.45	1258.09	1076.46	957.65
50000	4518.82	2430.28	1739.39	1397.88	1196.07	1064.05
60000	5422.58	2916.33	2087.27	1677.46	1435.28	1276.86
70000	6326.34	3402.39	2435.15	1957.03	1674.50	1489.67
80000	7230.11	3888.44	2783.03	2236.61	1913.71	1702.48
90000	8133.87	4374.50	3130.91	2516.19	2152.92	1915.29
100000	9037.63	4860.55	3478.79	2795.76	2392.14	2128.10

Montant	NOMBRE D'ANNÉES					
	7	8	9	10	11	12
500	9.72	9.05	8.54	8.14	7.83	7.59
1000	19.44	18.09	17.07	16.29	15.67	15.17
2000	38.87	36.18	34.15	32.57	31.33	30.34
3000	58.31	54.27	51.22	48.86	47.00	45.51
4000	77.75	72.36	68.29	65.15	62.67	60.68
5000	97.19	90.45	85.37	81.43	78.33	75.85
6000	116.62	108.54	102.44	97.72	94.00	91.02
7000	136.06	126.63	119.52	114.01	109.67	106.19
8000	155.50	144.72	136.59	130.30	125.33	121.36
9000	174.94	162.81	153.66	146.58	141.00	136.53
10000	194.37	180.90	170.74	162.87	156.67	151.70
15000	291.56	271.36	256.10	244.30	235.00	227.55
20000	388.75	361.81	341.47	325.74	313.33	303.40
25000	485.93	452.26	426.84	407.17	391.66	379.25
30000	583.12	542.71	512.21	488.61	470.00	455.10
35000	680.30	633.16	597.58	570.04	548.33	530.95
40000	777.49	723.61	682.94	651.48	626.66	606.80
45000	874.68	814.07	768.31	732.91	705.00	682.65
50000	971.86	904.52	853.68	814.35	783.33	758.50
60000	1166.24	1085.42	1024.42	977.22	940.00	910.20
70000	1360.61	1266.33	1195.15	1140.09	1096.66	1061.90
80000	1554.98	1447.23	1365.89	1302.95	1253.33	1213.60
90000	1749.36	1628.13	1536.63	1465.82	1409.99	1365.30
100000	1943.73	1809.04	1707.36	1628.69	1566.66	1517.00

15,50%

Montant	NOMBRE D'ANNÉES					
	1	2	3	4	5	6
500	45.25	24.36	17.46	14.04	12.03	10.71
1000	90.49	48.72	34.91	28.08	24.05	21.42
2000	180.99	97.45	69.82	56.17	48.11	42.83
3000	271.48	146.17	104.73	84.25	72.16	64.25
4000	361.98	194.90	139.64	112.34	96.21	85.67
5000	452.47	243.62	174.55	140.42	120.27	107.09
6000	542.97	292.35	209.46	168.51	144.32	128.50
7000	633.46	341.07	244.37	196.59	168.37	149.92
8000	723.96	389.80	279.29	224.68	192.43	171.34
9000	814.45	438.52	314.20	252.76	216.48	192.76
10000	904.94	487.25	349.11	280.85	240.53	214.17
15000	1357.42	730.87	523.66	421.27	360.80	321.26
20000	1809.89	974.49	698.21	561.70	481.06	428.35
25000	2262.36	1218.11	872.77	702.12	601.33	535.44
30000	2714.83	1461.74	1047.32	842.55	721.60	642.52
35000	3167.30	1705.36	1221.87	982.97	841.86	749.61
40000	3619.78	1948.98	1396.43	1123.39	962.13	856.70
45000	4072.25	2192.60	1570.98	1263.82	1082.39	963.79
50000	4524.72	2436.23	1745.53	1404.24	1202.66	1070.87
60000	5429.66	2923.47	2094.64	1685.09	1443.19	1285.05
70000	6334.61	3410.72	2443.75	1965.94	1683.72	1499.22
80000	7239.55	3897.96	2792.85	2246.79	1924.26	1713.40
90000	8144.50	4385.21	3141.96	2527.64	2164.79	1927.57
100000	9049.44	4872.45	3491.07	2808.49	2405.32	2141.75

15,50%

Montant	NOMBRE D'ANNÉES					
	7	8	9	10	11	12
500	9.79	9.12	8.61	8.22	7.91	7.67
1000	19.58	18.24	17.22	16.44	15.82	15.33
2000	39.16	36.47	34.45	32.88	31.65	30.66
3000	58.74	54.71	51.67	49.32	47.47	46.00
4000	78.31	72.94	68.89	65.76	63.30	61.33
5000	97.89	91.18	86.12	82.21	79.12	76.66
6000	117.47	109.42	103.34	98.65	94.95	91.99
7000	137.05	127.65	120.56	115.09	110.77	107.32
8000	156.63	145.89	137.79	131.53	126.60	122.66
9000	176.21	164.12	155.01	147.97	142.42	137.99
10000	195.78	182.36	172.24	164.41	158.25	153.32
15000	293.68	273.54	258.35	246.62	237.37	229.98
20000	391.57	364.72	344.47	328.82	316.49	306.64
25000	489.46	455.90	430.59	411.03	395.62	383.30
30000	587.35	547.08	516.71	493.23	474.74	459.96
35000	685.24	638.26	602.82	575.44	553.87	536.62
40000	783.13	729.44	688.94	657.64	632.99	613.28
45000	881.03	820.62	775.06	739.85	712.11	689.94
50000	978.92	911.80	861.18	822.05	791.24	766.60
60000	1174.70	1094.16	1033.41	986.46	949.48	919.92
70000	1370.48	1276.51	1205.65	1150.87	1107.73	1073.24
80000	1566.27	1458.87	1377.88	1315.28	1265.98	1226.56
90000	1762.05	1641.23	1550.12	1479.69	1424.23	1379.88
100000	1957.83	1823.59	1722.35	1644.11	1582.47	1533.20

15,75%

Montant	NOMBRE D'ANNÉES					
	1	2	3	4	5	6
500	45.31	24.42	17.52	14.11	12.09	10.78
1000	90.61	48.84	35.03	28.21	24.19	21.55
2000	181.23	97.69	70.07	56.42	48.37	43.11
3000	271.84	146.53	105.10	84.64	72.56	64.66
4000	362.45	195.37	140.13	112.85	96.74	86.22
5000	453.06	244.22	175.17	141.06	120.93	107.77
6000	543.68	293.06	210.20	169.27	145.11	129.33
7000	634.29	341.91	245.24	197.49	169.30	150.88
8000	724.90	390.75	280.27	225.70	193.48	172.44
9000	815.51	439.59	315.30	253.91	217.67	193.99
10000	906.13	488.44	350.34	282.12	241.85	215.54
15000	1359.19	732.66	525.51	423.19	362.78	323.32
20000	1812.25	976.87	700.67	564.25	483.71	431.09
25000	2265.31	1221.09	875.84	705.31	604.64	538.86
30000	2718.38	1465.31	1051.01	846.37	725.56	646.63
35000	3171.44	1709.53	1226.18	987.43	846.49	754.41
40000	3624.50	1953.75	1401.35	1128.50	967.42	862.18
45000	4077.57	2197.97	1576.52	1269.56	1088.34	969.95
50000	4530.63	2442.19	1751.69	1410.62	1209.27	1077.72
60000	5436.76	2930.62	2102.02	1692.74	1451.13	1293.27
70000	6342.88	3419.06	2452.36	1974.87	1692.98	1508.81
80000	7249.01	3907.50	2802.70	2256.99	1934.83	1724.35
90000	8155.13	4395.94	3153.04	2539.12	2176.69	1939.90
100000	9061.26	4884.37	3503.37	2821.24	2418.54	2155.44

15,75%

Montant	NOMBRE D'ANNÉES					
	7	8	9	10	11	12
500	9.86	9.19	8.69	8.30	7.99	7.75
1000	19.72	18.38	17.37	16.60	15.98	15.49
2000	39.44	36.76	34.75	33.19	31.97	30.99
3000	59.16	55.15	52.12	49.79	47.95	46.48
4000	78.88	73.53	69.50	66.38	63.93	61.98
5000	98.60	91.91	86.87	82.98	79.92	77.47
6000	118.32	110.29	104.24	99.58	95.90	92.97
7000	138.04	128.67	121.62	116.17	111.89	108.46
8000	157.76	147.06	138.99	132.77	127.87	123.96
9000	177.48	165.44	156.37	149.36	143.85	139.45
10000	197.20	183.82	173.74	165.96	159.84	154.95
15000	295.80	275.73	260.61	248.94	239.75	232.42
20000	394.40	367.64	347.48	331.92	319.67	309.90
25000	493.00	459.55	434.35	414.90	399.59	387.37
30000	591.60	551.46	521.22	497.88	479.51	464.84
35000	690.20	643.37	608.09	580.85	559.43	542.32
40000	788.80	735.28	694.96	663.83	639.34	619.79
45000	887.40	827.19	781.83	746.81	719.26	697.27
50000	986.00	919.10	868.70	829.79	799.18	774.74
60000	1183.20	1102.92	1042.44	995.75	959.02	929.69
70000	1380.40	1286.74	1216.19	1161.71	1118.85	1084.63
80000	1577.60	1470.57	1389.93	1327.67	1278.69	1239.58
90000	1774.79	1654.39	1563.67	1493.63	1438.52	1394.53
100000	1971.99	1838.21	1737.41	1659.58	1598.36	1549.48

16%

Montant	NOMBRE D'ANNÉES					
	1	2	3	4	5	6
500	45.37	24.48	17.58	14.17	12.16	10.85
1000	90.73	48.96	35.16	28.34	24.32	21.69
2000	181.46	97.93	70.31	56.68	48.64	43.38
3000	272.19	146.89	105.47	85.02	72.95	65.08
4000	362.92	195.85	140.63	113.36	97.27	86.77
5000	453.65	244.82	175.79	141.70	121.59	108.46
6000	544.39	293.78	210.94	170.04	145.91	130.15
7000	635.12	342.74	246.10	198.38	170.23	151.84
8000	725.85	391.70	281.26	226.72	194.54	173.53
9000	816.58	440.67	316.41	255.06	218.86	195.23
10000	907.31	489.63	351.57	283.40	243.18	216.92
15000	1360.96	734.45	527.36	425.10	364.77	325.38
20000	1814.62	979.26	703.14	566.81	486.36	433.84
25000	2268.27	1224.08	878.93	708.51	607.95	542.30
30000	2721.93	1468.89	1054.71	850.21	729.54	650.76
35000	3175.58	1713.71	1230.50	991.91	851.13	759.21
40000	3629.23	1958.52	1406.28	1133.61	972.72	867.67
45000	4082.89	2203.34	1582.07	1275.31	1094.31	976.13
50000	4536.54	2448.16	1757.85	1417.01	1215.90	1084.59
60000	5443.85	2937.79	2109.42	1700.42	1459.08	1301.51
70000	6351.16	3427.42	2460.99	1983.82	1702.26	1518.43
80000	7258.47	3917.05	2812.56	2267.22	1945.44	1735.35
90000	8165.78	4406.68	3164.13	2550.63	2188.63	1952.27
100000	9073.09	4896.31	3515.70	2834.03	2431.81	2169.18

16%

Montant	NOMBRE D'ANNÉES					
	7	8	9	10	11	12
500	9.93	9.26	8.76	8.38	8.07	7.83
1000	19.86	18.53	17.53	16.75	16.14	15.66
2000	39.72	37.06	35.05	33.50	32.29	31.32
3000	59.59	55.59	52.58	50.25	48.43	46.97
4000	79.45	74.12	70.10	67.01	64.57	62.63
5000	99.31	92.64	87.63	83.76	80.72	78.29
6000	119.17	111.17	105.15	100.51	96.86	93.95
7000	139.03	129.70	122.68	117.26	113.00	109.61
8000	158.90	148.23	140.20	134.01	129.15	125.27
9000	178.76	166.76	157.73	150.76	145.29	140.92
10000	198.62	185.29	175.25	167.51	161.43	156.58
15000	297.93	277.93	262.88	251.27	242.15	234.87
20000	397.24	370.58	350.51	335.03	322.86	313.17
25000	496.55	463.22	438.13	418.78	403.58	391.46
30000	595.86	555.86	525.76	502.54	484.30	469.75
35000	695.17	648.51	613.38	586.30	565.01	548.04
40000	794.48	741.15	701.01	670.05	645.73	626.33
45000	893.79	833.80	788.64	753.81	726.44	704.62
50000	993.10	926.44	876.26	837.57	807.16	782.91
60000	1191.72	1111.73	1051.52	1005.08	968.59	939.50
70000	1390.34	1297.02	1226.77	1172.59	1130.02	1096.08
80000	1588.97	1482.30	1402.02	1340.10	1291.45	1252.66
90000	1787.59	1667.59	1577.27	1507.62	1452.89	1409.24
100000	1986.21	1852.88	1752.53	1675.13	1614.32	1565.83

16,25%

Montant	NOMBRE D'ANNÉES					
	1	2	3	4	5	6
500	45.42	24.54	17.64	14.23	12.23	10.91
1000	90.85	49.08	35.28	28.47	24.45	21.83
2000	181.70	98.17	70.56	56.94	48.90	43.66
3000	272.55	147.25	105.84	85.41	73.35	65.49
4000	363.40	196.33	141.12	113.87	97.80	87.32
5000	454.25	245.41	176.40	142.34	122.26	109.15
6000	545.10	294.50	211.68	170.81	146.71	130.98
7000	635.94	343.58	246.96	199.28	171.16	152.81
8000	726.79	392.66	282.24	227.75	195.61	174.64
9000	817.64	441.74	317.53	256.22	220.06	196.47
10000	908.49	490.83	352.81	284.68	244.51	218.30
15000	1362.74	736.24	529.21	427.03	366.77	327.45
20000	1816.98	981.65	705.61	569.37	489.02	436.59
25000	2271.23	1227.07	882.01	711.71	611.28	545.74
30000	2725.48	1472.48	1058.42	854.05	733.53	654.89
35000	3179.72	1717.89	1234.82	996.40	855.79	764.04
40000	3633.97	1963.31	1411.22	1138.74	978.04	873.19
45000	4088.21	2208.72	1587.63	1281.08	1100.30	982.34
50000	4542.46	2454.13	1764.03	1423.42	1222.55	1091.49
60000	5450.95	2944.96	2116.83	1708.11	1467.07	1309.78
70000	6359.44	3435.79	2469.64	1992.79	1711.58	1528.08
80000	7267.94	3926.61	2822.45	2277.48	1956.09	1746.38
90000	8176.43	4417.44	3175.25	2562.16	2200.60	1964.67
100000	9084.92	4908.26	3528.06	2846.85	2445.11	2182.97

16,25%

Montant	NOMBRE D'ANNÉES					
	7	8	9	10	11	12
500	10.00	9.34	8.84	8.45	8.15	7.91
1000	20.00	18.68	17.68	16.91	16.30	15.82
2000	40.01	37.35	35.35	33.81	32.61	31.64
3000	60.01	56.03	53.03	50.72	48.91	47.47
4000	80.02	74.70	70.71	67.63	65.21	63.29
5000	100.02	93.38	88.39	84.54	81.52	79.11
6000	120.03	112.06	106.06	101.44	97.82	94.93
7000	140.03	130.73	123.74	118.35	114.12	110.76
8000	160.04	149.41	141.42	135.26	130.43	126.58
9000	180.04	168.08	159.09	152.17	146.73	142.40
10000	200.05	186.76	176.77	169.07	163.03	158.22
15000	300.07	280.14	265.16	253.61	244.55	237.34
20000	400.09	373.52	353.54	338.15	326.07	316.45
25000	500.12	466.90	441.93	422.69	407.59	395.56
30000	600.14	560.28	530.31	507.22	489.10	474.67
35000	700.16	653.66	618.70	591.76	570.62	553.79
40000	800.19	747.04	707.08	676.30	652.14	632.90
45000	900.21	840.42	795.47	760.83	733.65	712.01
50000	1000.24	933.80	883.85	845.37	815.17	791.12
60000	1200.28	1120.57	1060.62	1014.45	978.21	949.35
70000	1400.33	1307.33	1237.39	1183.52	1141.24	1107.57
80000	1600.38	1494.09	1414.16	1352.60	1304.27	1265.80
90000	1800.42	1680.85	1590.93	1521.67	1467.31	1424.02
100000	2000.47	1867.61	1767.71	1690.74	1630.34	1582.24

16,50%

Montant	NOMBRE D'ANNÉES					
	1	2	3	4	5	6
500	45.48	24.60	17.70	14.30	12.29	10.98
1000	90.97	49.20	35.40	28.60	24.58	21.97
2000	181.94	98.40	70.81	57.19	49.17	43.94
3000	272.90	147.61	106.21	85.79	73.75	65.90
4000	363.87	196.81	141.62	114.39	98.34	87.87
5000	454.84	246.01	177.02	142.99	122.92	109.84
6000	545.81	295.21	212.43	171.58	147.51	131.81
7000	636.77	344.42	247.83	200.18	172.09	153.78
8000	727.74	393.62	283.24	228.78	196.68	175.74
9000	818.71	442.82	318.64	257.37	221.26	197.71
10000	909.68	492.02	354.04	285.97	245.85	219.68
15000	1364.51	738.04	531.07	428.96	368.77	329.52
20000	1819.35	984.05	708.09	571.94	491.69	439.36
25000	2274.19	1230.06	885.11	714.93	614.61	549.20
30000	2729.03	1476.07	1062.13	857.91	737.54	659.04
35000	3183.87	1722.08	1239.15	1000.90	860.46	768.88
40000	3638.71	1968.09	1416.18	1143.88	983.38	878.72
45000	4093.54	2214.11	1593.20	1286.87	1106.30	988.56
50000	4548.38	2460.12	1770.22	1429.85	1229.23	1098.40
60000	5458.06	2952.14	2124.26	1715.82	1475.07	1318.08
70000	6367.73	3444.16	2478.31	2001.79	1720.92	1537.76
80000	7277.41	3936.19	2832.35	2287.76	1966.76	1757.44
90000	8187.09	4428.21	3186.39	2573.73	2212.61	1977.13
100000	9096.76	4920.24	3540.44	2859.70	2458.45	2196.81

Montant	NOMBRE D'ANNÉES					
	7	8	9	10	11	12
500	10.07	9.41	8.91	8.53	8.23	7.99
1000	20.15	18.82	17.83	17.06	16.46	15.99
2000	40.30	37.65	35.66	34.13	32.93	31.97
3000	60.44	56.47	53.49	51.19	49.39	47.96
4000	80.59	75.30	71.32	68.26	65.86	63.95
5000	100.74	94.12	89.15	85.32	82.32	79.94
6000	120.89	112.94	106.98	102.39	98.79	95.92
7000	141.04	131.77	124.81	119.45	115.25	111.91
8000	161.18	150.59	142.64	136.51	131.72	127.90
9000	181.33	169.42	160.47	153.58	148.18	143.89
10000	201.48	188.24	178.29	170.64	164.64	159.87
15000	302.22	282.36	267.44	255.96	246.97	239.81
20000	402.96	376.48	356.59	341.28	329.29	319.75
25000	503.70	470.60	445.74	426.61	411.61	399.68
30000	604.44	564.72	534.88	511.93	493.93	479.62
35000	705.18	658.84	624.03	597.25	576.25	559.56
40000	805.92	752.96	713.18	682.57	658.58	639.49
45000	906.66	847.08	802.33	767.89	740.90	719.43
50000	1007.39	941.20	891.47	853.21	823.22	799.37
60000	1208.87	1129.44	1069.77	1023.85	987.86	959.24
70000	1410.35	1317.68	1248.06	1194.50	1152.51	1119.11
80000	1611.83	1505.92	1426.36	1365.14	1317.15	1278.99
90000	1813.31	1694.16	1604.65	1535.78	1481.79	1438.86
100000	2014.79	1882.40	1782.95	1706.42	1646.44	1598.73

16,75%

Montant	NOMBRE D'ANNÉES					
	1	2	3	4	5	6
500	45.54	24.66	17.76	14.36	12.36	11.05
1000	91.09	49.32	35.53	28.73	24.72	22.11
2000	182.17	98.64	71.06	57.45	49.44	44.21
3000	273.26	147.97	106.59	86.18	74.16	66.32
4000	364.34	197.29	142.11	114.90	98.87	88.43
5000	455.43	246.61	177.64	143.63	123.59	110.53
6000	546.52	295.93	213.17	172.36	148.31	132.64
7000	637.60	345.26	248.70	201.08	173.03	154.75
8000	728.69	394.58	284.23	229.81	197.75	176.85
9000	819.78	443.90	319.76	258.53	222.47	198.96
10000	910.86	493.22	355.28	287.26	247.18	221.07
15000	1366.29	739.83	532.93	430.89	370.78	331.60
20000	1821.72	986.44	710.57	574.52	494.37	442.14
25000	2277.15	1233.06	888.21	718.15	617.96	552.67
30000	2732.58	1479.67	1065.85	861.78	741.55	663.21
35000	3188.02	1726.28	1243.50	1005.41	865.14	773.74
40000	3643.45	1972.89	1421.14	1149.03	988.73	884.27
45000	4098.88	2219.50	1598.78	1292.66	1112.33	994.81
50000	4554.31	2466.11	1776.42	1436.29	1235.92	1105.34
60000	5465.17	2959.33	2131.71	1723.55	*1483.10	1326.41
70000	6376.03	3452.56	2486.99	2010.81	1730.28	1547.48
80000	7286.89	3945.78	2842.27	2298.07	1977.47	1768.55
90000	8197.75	4439.00	3197.56	2585.33	2224.65	1989.62
100000	9108.62	4932.22	3552.84	2872.59	2471.84	2210.69

16,75%

Montant	NOMBRE D'ANNÉES					
	7	8	9	10	11	12
500	10.15	9.49	8.99	8.61	8.31	8.08
1000	20.29	18.97	17.98	17.22	16.63	16.15
2000	40.58	37.94	35.97	34.44	33.25	32.31
3000	60.87	56.92	53.95	51.67	49.88	48.46
4000	81.17	75.89	71.93	68.89	66.50	64.61
5000	101.46	94.86	89.91	86.11	83.13	80.76
6000	121.75	113.83	107.90	103.33	99.76	96.92
7000	142.04	132.81	125.88	120.55	116.38	113.07
8000	162.33	151.78	143.86	137.77	133.01	129.22
9000	182.62	170.75	161.84	155.00	149.63	145.38
10000	202.92	189.72	179.83	172.22	166.26	161.53
15000	304.37	284.59	269.74	258.33	249.39	242.29
20000	405.83	379.45	359.65	344.43	332.52	323.06
25000	507.29	474.31	449.56	430.54	415.65	403.82
30000	608.75	569.17	539.48	516.65	498.78	484.59
35000	710.21	664.03	629.39	602.76	581.91	565.35
40000	811.66	758.90	719.30	688.87	665.04	646.12
45000	913.12	853.76	809.21	774.98	748.17	726.88
50000	1014.58	948.62	899.13	861.08	831.30	807.65
60000	1217.50	1138.35	1078.95	1033.30	997.56	969.18
70000	1420.41	1328.07	1258.78	1205.52	1163.82	1130.71
80000	1623.33	1517.79	1438.60	1377.73	1330.08	1292.23
90000	1826.24	1707.52	1618.43	1549.95	1496.34	1453.76
100000	2029.16	1897.24	1798.25	1722.17	1662.60	1615.29

17%

Montant	NOMBRE D'ANNÉES					
	1	2	3	4	5	6
500	45.60	24.72	17.83	14.43	12.43	11.12
1000	91.20	49.44	35.65	28.86	24.85	22.25
2000	182.41	98.88	71.31	57.71	49.71	44.49
3000	273.61	148.33	106.96	86.57	74.56	66.74
4000	364.82	197.77	142.61	115.42	99.41	88.98
5000	456.02	247.21	178.26	144.28	124.26	111.23
6000	547.23	296.65	213.92	173.13	149.12	133.48
7000	638.43	346.10	249.57	201.99	173.97	155.72
8000	729.64	395.54	285.22	230.84	198.82	177.97
9000	820.84	444.98	320.87	259.70	223.67	200.22
10000	912.05	494.42	356.53	288.55	248.53	222.46
15000	1368.07	741.63	534.79	432.83	372.79	333.69
20000	1824.10	988.85	713.05	577.10	497.05	444.92
25000	2280.12	1236.06	891.32	721.38	621.31	556.15
30000	2736.14	1483.27	1069.58	865.65	745.58	667.38
35000	3192.17	1730.48	1247.85	1009.93	869.84	778.61
40000	3648.19	1977.69	1426.11	1154.20	994.10	889.85
45000	4104.21	2224.90	1604.37	1298.48	1118.37	1001.08
50000	4560.24	2472.11	1782.64	1442.75	1242.63	1112.31
60000	5472.29	2966.54	2139.16	1731.30	1491.15	1334.77
70000	6384.33	3460.96	2495.69	2019.85	1739.68	1557.23
80000	7296.38	3955.38	2852.22	2308.40	1988.21	1779.69
90000	8208.43	4449.80	3208.75	2596.95	2236.73	2002.15
100000	9120.48	4944.23	3565.27	2885.50	2485.26	2224.61

17%

Montant	NOMBRE D'ANNÉES					
	7	8	9	10	11	12
500	10.22	9.56	9.07	8.69	8.39	8.16
1000	20.44	19.12	18.14	17.38	16.79	16.32
2000	40.87	38.24	36.27	34.76	33.58	32.64
3000	61.31	57.36	54.41	52.14	50.36	48.96
4000	81.74	76.49	72.54	69.52	67.15	65.28
5000	102.18	95.61	90.68	86.90	83.94	81.60
6000	122.61	114.73	108.82	104.28	100.73	97.92
7000	143.05	133.85	126.95	121.66	117.52	114.23
8000	163.49	152.97	145.09	139.04	134.31	130.55
9000	183.92	172.09	163.23	156.42	151.09	146.87
10000	204.36	191.21	181.36	173.80	167.88	163.19
15000	306.54	286.82	272.04	260.70	251.82	244.79
20000	408.72	382.43	362.72	347.60	335.77	326.38
25000	510.90	478.04	453.40	434.49	419.71	407.98
30000	613.07	573.64	544.09	521.39	503.65	489.58
35000	715.25	669.25	634.77	608.29	587.59	571.17
40000	817.43	764.86	725.45	695.19	671.53	652.77
45000	919.61	860.47	816.13	782.09	755.47	734.37
50000	1021.79	956.07	906.81	868.99	839.42	815.96
60000	1226.15	1147.29	1088.17	1042.79	1007.30	979.15
70000	1430.51	1338.50	1269.53	1216.58	1175.18	1142.35
80000	1634.86	1529.72	1450.90	1390.38	1343.07	1305.54
90000	1839.22	1720.93	1632.26	1564.18	1510.95	1468.73
100000	2043.58	1912.15	1813.62	1737.98	1678.83	1631.92

17,25%

Montant	NOMBRE D'ANNÉES					
	1	2	3	4	5	6
500	45.66	24.78	17.89	14.49	12.49	11.19
1000	91.32	49.56	35.78	28.98	24.99	22.39
2000	182.65	99.12	71.55	57.97	49.97	44.77
3000	273.97	148.69	107.33	86.95	74.96	67.16
4000	365.29	198.25	143.11	115.94	99.95	89.54
5000	456.62	247.81	178.89	144.92	124.94	111.93
6000	547.94	297.37	214.66	173.91	149.92	134.32
7000	639.26	346.94	250.44	202.89	174.91	156.70
8000	730.59	396.50	286.22	231.88	199.90	179.09
9000	821.91	446.06	322.00	260.86	224.88	201.47
10000	913.23	495.62	357.77	289.85	249.87	223.86
15000	1369.85	743.44	536.66	434.77	374.81	335.79
20000	1826.47	991.25	715.55	579.69	499.74	447.72
25000	2283.09	1239.06	894.43	724.61	624.68	559.65
30000	2739.70	1486.87	1073.32	869.54	749.62	671.58
35000	3196.32	1734.69	1252.20	1014.46	874.55	783.51
40000	3652.94	1982.50	1431.09	1159.38	999.49	895.43
45000	4109.55	2230.31	1609.98	1304.30	1124.42	1007.36
50000	4566.17	2478.12	1788.86	1449.23	1249.36	1119.29
60000	5479.41	2973.75	2146.64	1739.07	1499.23	1343.15
70000	6392.64	3469.37	2504.41	2028.92	1749.10	1567.01
80000	7305.87	3965.00	2862.18	2318.76	1998.98	1790.87
90000	8219.11	4460.62	3219.95	2608.61	2248.85	2014.73
100000	9132.34	4956.25	3577.73	2898.45	2498.72	2238.59

17,25%

Montant	NOMBRE D'ANNÉES					
	7	8	9	10	11	12
500	10.29	9.64	9.15	8.77	8.48	8.24
1000	20.58	19.27	18.29	17.54	16.95	16.49
2000	41.16	38.54	36.58	35.08	33.90	32.97
3000	61.74	57.81	54.87	52.62	50.85	49.46
4000	82.32	77.08	73.16	70.15	67.81	65.94
5000	102.90	96.36	91.45	87.69	84.76	82.43
6000	123.48	115.63	109.74	105.23	101.71	98.92
7000	144.06	134.90	128.03	122.77	118.66	115.40
8000	164.64	154.17	146.32	140.31	135.61	131.89
9000	185.22	173.44	164.61	157.85	152.56	148.38
10000	205.81	192.71	182.90	175.39	169.51	164.86
15000	308.71	289.07	274.36	263.08	254.27	247.29
20000	411.61	385.42	365.81	350.77	339.03	329.72
25000	514.51	481.78	457.26	438.46	423.78	412.16
30000	617.42	578.13	548.71	526.16	508.54	494.59
35000	720.32	674.49	640.17	613.85	593.30	577.02
40000	823.22	770.84	731.62	701.54	678.05	659.45
45000	926.12	867.20	823.07	789.23	762.81	741.88
50000	1029.03	963.55	914.52	876.93	847.56	824.31
60000	1234.83	1156.26	1097.43	1052.31	1017.08	989.17
70000	1440.64	1348.97	1280.33	1227.70	1186.59	1154.03
80000	1646.44	1541.68	1463.24	1403.08	1356.10	1318.90
90000	1852.25	1734.39	1646.14	1578.47	1525.62	1483.76
100000	2058.05	1927.10	1829.05	1753.85	1695.13	1648.62

17,50%

Montant	NOMBRE D'ANNÉES					
	1	2	3	4	5	6
500	45.72	24.84	17.95	14.56	12.56	11.26
1000	91.44	49.68	35.90	29.11	25.12	22.53
2000	182.88	99.37	71.80	58.23	50.24	45.05
3000	274.33	149.05	107.71	87.34	75.37	67.58
4000	365.77	198.73	143.61	116.46	100.49	90.10
5000	457.21	248.41	179.51	145.57	125.61	112.63
6000	548.65	298.10	215.41	174.69	150.73	135.16
7000	640.10	347.78	251.31	203.80	175.86	157.68
8000	731.54	397.46	287.22	232.91	200.98	180.21
9000	822.98	447.15	323.12	262.03	226.10	202.73
10000	914.42	496.83	359.02	291.14	251.22	225.26
15000	1371.63	745.24	538.53	436.72	376.83	337.89
20000	1828.84	993.66	718.04	582.29	502.44	450.52
25000	2286.06	1242.07	897.55	727.86	628.06	563.15
30000	2743.27	1490.49	1077.06	873.43	753.67	675.78
35000	3200.48	1738.90	1256.57	1019.00	879.28	788.41
40000	3657.69	1987.31	1436.08	1164.57	1004.89	901.04
45000	4114.90	2235.73	1615.59	1310.15	1130.50	1013.67
50000	4572.11	2484.14	1795.10	1455.72	1256.11	1126.30
60000	5486.53	2980.97	2154.12	1746.86	1507.33	1351.56
70000	6400.95	3477.80	2513.14	2038.01	1758.55	1576.82
80000	7315.38	3974.63	2872.17	2329.15	2009.78	1802.08
90000	8229.80	4471.46	3231.19	2620.29	2261.00	2027.34
100000	9144.22	4968.28	3590.21	2911.44	2512.22	2252.60

17,50%

Montant	NOMBRE D'ANNÉES					
	7	8	9	10	11	12
500	10.36	9.71	9.22	8.85	8.56	8.33
1000	20.73	19.42	18.45	17.70	17.11	16.65
2000	41.45	38.84	36.89	35.40	34.23	33.31
3000	62.18	58.26	55.34	53.09	51.34	49.96
4000	82.90	77.68	73.78	70.79	68.46	66.62
5000	103.63	97.11	92.23	88.49	85.57	83.27
6000	124.35	116.53	110.67	106.19	102.69	99.92
7000	145.08	135.95	129.12	123.89	119.80	116.58
8000	165.81	155.37	147.56	141.58	136.92	133.23
9000	186.53	174.79	166.01	159.28	154.03	149.88
10000	207.26	194.21	184.45	176.98	171.15	166.54
15000	310.89	291.32	276.68	265.47	256.72	249.81
20000	414.52	388.42	368.91	353.96	342.30	333.08
25000	518.14	485.53	461.13	442.45	427.87	416.35
30000	621.77	582.64	553.36	530.94	513.45	499.62
35000	725.40	679.74	645.59	619.43	599.02	582.89
40000	829.03	776.85	737.81	707.92	684.60	666.15
45000	932.66	873.95	830.04	796.40	770.17	749.42
50000	1036.29	971.06	922.27	884.89	855.75	832.69
60000	1243.55	1165.27	1106.72	1061.87	1026.90	999.23
70000	1450.81	1359.48	1291.17	1238.85	1198.05	1165.77
80000	1658.06	1553.70	1475.63	1415.83	1369.19	1332.31
90000	1865.32	1747.91	1660.08	1592.81	1540.34	1498.85
100000	2072.58	1942.12	1844.53	1769.79	1711.49	1665.39

17,75%

Montant	NOMBRE D'ANNÉES					
	1	2	3	4	5	6
500	45.78	24.90	18.01	14.62	12.63	11.33
1000	91.56	49.80	36.03	29.24	25.26	22.67
2000	183.12	99.61	72.05	58.49	50.52	45.33
3000	274.68	149.41	108.08	87.73	75.77	68.00
4000	366.24	199.21	144.11	116.98	101.03	90.67
5000	457.81	249.02	180.14	146.22	126.29	113.33
6000	549.37	298.82	216.16	175.47	151.55	136.00
7000	640.93	348.62	252.19	204.71	176.80	158.67
8000	732.49	398.43	288.22	233.96	202.06	181.33
9000	824.05	448.23	324.24	263.20	227.32	204.00
10000	915.61	498.03	360.27	292.45	252.58	226.67
15000	1373.42	747.05	540.41	438.67	378.86	340.00
20000	1831.22	996.07	720.54	584.89	505.15	453.33
25000	2289.03	1245.08	900.68	731.11	631.44	566.67
30000	2746.83	1494.10	1080.81	877.34	757.73	680.00
35000	3204.64	1743.12	1260.95	1023.56	884.02	793.33
40000	3662.44	1992.14	1441.08	1169.78	1010.30	906.67
45000	4120.25	2241.15	1621.22	1316.00	1136.59	1020.00
50000	4578.05	2490.17	1801.36	1462.23	1262.88	1133.33
60000	5493.66	2988.20	2161.63	1754.67	1515.46	1360.00
70000	6409.27	3486.24	2521.90	2047.12	1768.03	1586.67
80000	7324.88	3984.27	2882.17	2339.56	2020.61	1813.34
90000	8240.50	4482.31	3242.44	2632.01	2273.19	2040.00
100000	9156.11	4980.34	3602.71	2924.45	2525.76	2266.67

17,75%

Montant	NOMBRE D'ANNÉES					
	7	8	9	10	11	12
500	10.44	9.79	9.30	8.93	8.64	8.41
1000	20.87	19.57	18.60	17.86	17.28	16.82
2000	41.74	39.14	37.20	35.72	34.56	33.64
3000	62.61	58.72	55.80	53.57	51.84	50.47
4000	83.49	78.29	74.40	71.43	69.12	67.29
5000	104.36	97.86	93.00	89.29	86.40	84.11
6000	125.23	117.43	111.60	107.15	103.68	100.93
7000	146.10	137.00	130.21	125.01	120.95	117.76
8000	166.97	156.58	148.81	142.86	138.23	134.58
9000	187.84	176.15	167.41	160.72	155.51	151.40
10000	208.72	195.72	186.01	178.58	172.79	168.22
15000	313.07	293.58	279.01	267.87	259.19	252.33
20000	417.43	391.44	372.02	357.16	345.58	336.44
25000	521.79	489.30	465.02	446.45	431.98	420.56
30000	626.15	587.16	558.02	535.74	518.38	504.67
35000	730.50	685.02	651.03	625.03	604.77	588.78
40000	834.86	782.88	744.03	714.32	691.17	672.89
45000	939.22	880.74	837.04	803.60	777.57	757.00
50000	1043.58	978.60	930.04	892.89	863.96	841.11
60000	1252.29	1174.32	1116.05	1071.47	1036.75	1009.33
70000	1461.01	1370.04	1302.06	1250.05	1209.55	1177.55
80000	1669.72	1565.75	1488.06	1428.63	1382.34	1345.78
90000	1878.44	1761.47	1674.07	1607.21	1555.13	1514.00
100000	2087.16	1957.19	1860.08	1785.79	1727.92	1682.22

18%

Montant	NOMBRE D'ANNÉES					
	1	2	3	4	5	6
500	45.84	24.96	18.08	14.69	12.70	11.40
1000	91.68	49.92	36.15	29.37	25.39	22.81
2000	183.36	99.85	72.30	58.75	50.79	45.62
3000	275.04	149.77	108.46	88.12	76.18	68.42
4000	366.72	199.70	144.61	117.50	101.57	91.23
5000	458.40	249.62	180.76	146.87	126.97	114.04
6000	550.08	299.54	216.91	176.25	152.36	136.85
7000	641.76	349.47	253.07	205.62	177.75	159.65
8000	733.44	399.39	289.22	235.00	203.15	182.46
9000	825.12	449.32	325.37	264.37	228.54	205.27
10000	916.80	499.24	361.52	293.75	253.93	228.08
15000	1375.20	748.86	542.29	440.62	380.90	342.12
20000	1833.60	998.48	723.05	587.50	507.87	456.16
25000	2292.00	1248.10	903.81	734.37	634.84	570.19
30000	2750.40	1497.72	1084.57	881.25	761.80	684.23
35000	3208.80	1747.34	1265.33	1028.12	888.77	798.27
40000	3667.20	1996.96	1446.10	1175.00	1015.74	912.31
45000	4125.60	2246.58	1626.86	1321.87	1142.70	1026.35
50000	4584.00	2496.21	1807.62	1468.75	1269.67	1140.39
60000	5500.80	2995.45	2169.14	1762.50	1523.61	1368.47
70000	6417.60	3494.69	2530.67	2056.25	1777.54	1596.55
80000	7334.40	3993.93	2892.19	2350.00	2031.47	1824.62
90000	8251.20	4493.17	3253.72	2643.75	2285.41	2052.70
100000	9168.00	4992.41	3615.24	2937.50	2539.34	2280.78

18%

Montant	NOMBRE D'ANNÉES					
	7	8	9	10	11	12
500	10.51	9.86	9.38	9.01	8.72	8.50
1000	21.02	19.72	18.76	18.02	17.44	16.99
2000	42.04	39.45	37.51	36.04	34.89	33.98
3000	63.05	59.17	56.27	54.06	52.33	50.97
4000	84.07	78.89	75.03	72.07	69.78	67.96
5000	105.09	98.62	93.78	90.09	87.22	84.96
6000	126.11	118.34	112.54	108.11	104.67	101.95
7000	147.12	138.06	131.30	126.13	122.11	118.94
8000	168.14	157.79	150.06	144.15	139.55	135.93
9000	189.16	177.51	168.81	162.17	157.00	152.92
10000	210.18	197.23	187.57	180.19	174.44	169.91
15000	315.27	295.85	281.35	270.28	261.66	254.87
20000	420.36	394.46	375.14	360.37	348.88	339.82
25000	525.45	493.08	468.92	450.46	436.10	424.78
30000	630.54	591.70	562.71	540.56	523.33	509.74
35000	735.62	690.31	656.49	630.65	610.55	594.69
40000	840.71	788.93	750.28	720.74	697.77	679.65
45000	945.80	887.54	844.06	810.83	784.99	764.60
50000	1050.89	986.16	937.84	900.93	872.21	849.56
60000	1261.07	1183.39	1125.41	1081.11	1046.65	1019.47
70000	1471.25	1380.62	1312.98	1261.30	1221.09	1189.38
80000	1681.43	1577.86	1500.55	1441.48	1395.53	1359.30
90000	1891.61	1775.09	1688.12	1621.67	1569.98	1529.21
100000	2101.78	1972.32	1875.69	1801.85	1744.42	1699.12

18,25%

Montant	NOMBRE D'ANNÉES					
	1	2	3	4	5	6
500	45.90	25.02	18.14	14.75	12.76	11.47
1000	91.80	50.04	36.28	29.51	25.53	22.95
2000	183.60	100.09	72.56	59.01	51.06	45.90
3000	275.40	150.13	108.83	88.52	76.59	68.85
4000	367.20	200.18	145.11	118.02	102.12	91.80
5000	459.00	250.22	181.39	147.53	127.65	114.75
6000	550.79	300.27	217.67	177.03	153.18	137.70
7000	642.59	350.31	253.95	206.54	178.71	160.65
8000	734.39	400.36	290.22	236.05	204.24	183.59
9000	826.19	450.40	326.50	265.55	229.77	206.54
10000	917.99	500.45	362.78	295.06	255.30	229.49
15000	1376.99	750.67	544.17	442.59	382.94	344.24
20000	1835.98	1000.90	725.56	590.12	510.59	458.99
25000	2294.98	1251.12	906.95	737.64	638.24	573.73
30000	2753.97	1501.35	1088.34	885.17	765.89	688.48
35000	3212.97	1751.57	1269.73	1032.70	893.54	803.23
40000	3671.96	2001.80	1451.12	1180.23	1021.18	917.97
45000	4130.96	2252.02	1632.51	1327.76	1148.83	1032.72
50000	4589.95	2502.25	1813.90	1475.29	1276.48	1147.47
60000	5507.94	3002.70	2176.68	1770.35	1531.78	1376.96
70000	6425.93	3503.15	2539.46	2065.41	1787.07	1606.45
80000	7343.92	4003.60	2902.23	2360.46	2042.37	1835.95
90000	8261.91	4504.05	3265.01	2655.52	2297.67	2065.44
100000	9179.90	5004.50	3627.79	2950.58	2552.96	2294.93

18,25%

Montant	NOMBRE D'ANNÉES					
	7	8	9	10	11	12
500	10.58	9.94	9.46	9.09	8.80	8.58
1000	21.16	19.88	18.91	18.18	17.61	17.16
2000	42.33	39.75	37.83	36.36	35.22	34.32
3000	63.49	59.63	56.74	54.54	52.83	51.48
4000	84.66	79.50	75.65	72.72	70.44	68.64
5000	105.82	99.38	94.57	90.90	88.05	85.80
6000	126.99	119.25	113.48	109.08	105.66	102.97
7000	148.15	139.13	132.39	127.26	123.27	120.13
8000	169.32	159.00	151.31	145.44	140.88	137.29
9000	190.48	178.88	170.22	163.62	158.49	154.45
10000	211.65	198.75	189.14	181.80	176.10	171.61
15000	317.47	298.13	283.70	272.70	264.15	257.41
20000	423.29	397.50	378.27	363.60	352.20	343.22
25000	529.12	496.88	472.84	454.49	440.24	429.02
30000	634.94	596.25	567.41	545.39	528.29	514.83
35000	740.76	695.63	661.97	636.29	616.34	600.63
40000	846.59	795.00	756.54	727.19	704.39	686.43
45000	952.41	894.38	851.11	818.09	792.44	772.24
50000	1058.23	993.75	945.68	908.99	880.49	858.04
60000	1269.88	1192.50	1134.81	1090.79	1056.59	1029.65
70000	1481.52	1391.25	1323.95	1272.58	1232.68	1201.26
80000	1693.17	1590.00	1513.08	1454.38	1408.78	1372.87
90000	1904.82	1788.75	1702.22	1636.18	1584.88	1544.48
100000	2116.46	1987.51	1891.36	1817.98	1760.98	1716.08

18,50%

Montant	NOMBRE D'ANNÉES					
	1	2	3	4	5	6
500	45.96	25.08	18.20	14.82	12.83	11.55
1000	91.92	50.17	36.40	29.64	25.67	23.09
2000	183.84	100.33	72.81	59.27	51.33	46.18
3000	275.75	150.50	109.21	88.91	77.00	69.27
4000	367.67	200.66	145.61	118.55	102.66	92.37
5000	459.59	250.83	182.02	148.18	128.33	115.46
6000	551.51	301.00	218.42	177.82	154.00	138.55
7000	643.43	351.16	254.83	207.46	179.66	161.64
8000	735.34	401.33	291.23	237.10	205.33	184.73
9000	827.26	451.49	327.63	266.73	231.00	207.82
10000	919.18	501.66	364.04	296.37	256.66	230.91
15000	1378.77	752.49	546.06	444.55	384.99	346.37
20000	1838.36	1003.32	728.07	592.74	513.32	461.83
25000	2297.95	1254.15	910.09	740.92	641.66	577.28
30000	2757.54	1504.98	1092.11	889.11	769.99	692.74
35000	3217.13	1755.81	1274.13	1037.29	898.32	808.20
40000	3676.72	2006.64	1456.15	1185.48	1026.65	923.65
45000	4136.32	2257.47	1638.17	1333.66	1154.98	1039.11
50000	4595.91	2508.30	1820.19	1481.85	1283.31	1154.57
60000	5515.09	3009.96	2184.22	1778.21	1539.97	1385.48
70000	6434.27	3511.62	2548.26	2074.58	1796.63	1616.39
80000	7353.45	4013.28	2912.30	2370.95	2053.30	1847.31
90000	8272.63	4514.94	3276.33	2667.32	2309.96	2078.22
100000	9191.81	5016.60	3640.37	2963.69	2566.62	2309.14

18,50%

Montant	NOMBRE D'ANNÉES					
	7	8	9	10	11	12
500	10.66	10.01	9.54	9.17	8.89	8.67
1000	21.31	20.03	19.07	18.34	17.78	17.33
2000	42.62	40.05	38.14	36.68	35.55	34.66
3000	63.94	60.08	57.21	55.02	53.33	51.99
4000	85.25	80.11	76.28	73.37	71.10	69.32
5000	106.56	100.14	95.35	91.71	88.88	86.66
6000	127.87	120.16	114.42	110.05	106.66	103.99
7000	149.18	140.19	133.50	128.39	124.43	121.32
8000	170.50	160.22	152.57	146.73	142.21	138.65
9000	191.81	180.25	171.64	165.07	159.98	155.98
10000	213.12	200.27	190.71	183.42	177.76	173.31
15000	319.68	300.41	286.06	275.12	266.64	259.97
20000	426.24	400.55	381.42	366.83	355.52	346.62
25000	532.80	500.69	476.77	458.54	444.40	433.28
30000	639.36	600.82	572.12	550.25	533.28	519.93
35000	745.92	700.96	667.48	641.96	622.16	606.59
40000	852.48	801.10	762.83	733.67	711.04	693.25
45000	959.04	901.23	858.19	825.37	799.92	779.90
50000	1065.60	1001.37	953.54	917.08	888.80	866.56
60000	1278.72	1201.65	1144.25	1100.50	1066.56	1039.87
70000	1491.83	1401.92	1334.96	1283.92	1244.32	1213.18
80000	1704.95	1602.20	1525.67	1467.33	1422.08	1386.49
90000	1918.07	1802.47	1716.37	1650.75	1599.84	1559.80
100000	2131.19	2002.74	1907.08	1834.17	1777.60	1733.11

18,75%

Montant	NOMBRE D'ANNÉES					
	1	2	3	4	5	6
500	46.02	25.14	18.26	14.88	12.90	11.62
1000	92.04	50.29	36.53	29.77	25.80	23.23
2000	184.07	100.57	73.06	59.54	51.61	46.47
3000	276.11	150.86	109.59	89.31	77.41	69.70
4000	368.15	201.15	146.12	119.07	103.21	92.94
5000	460.19	251.44	182.65	148.84	129.02	116.17
6000	552.22	301.72	219.18	178.61	154.82	139.40
7000	644.26	352.01	255.71	208.38	180.62	162.64
8000	736.30	402.30	292.24	238.15	206.43	185.87
9000	828.34	452.59	328.77	267.92	232.23	209.10
10000	920.37	502.87	365.30	297.68	258.03	232.34
15000	1380.56	754.31	547.95	446.53	387.05	348.51
20000	1840.75	1005.74	730.59	595.37	516.06	464.68
25000	2300.93	1257.18	913.24	744.21	645.08	580.85
30000	2761.12	1508.62	1095.89	893.05	774.10	697.01
35000	3221.31	1760.05	1278.54	1041.89	903.11	813.18
40000	3681.49	2011.49	1461.19	1190.73	1032.13	929.35
45000	4141.68	2262.93	1643.84	1339.58	1161.14	1045.52
50000	4601.87	2514.36	1826.49	1488.42	1290.16	1161.69
60000	5522.24	3017.23	2191.78	1786.10	1548.19	1394.03
70000	6442.61	3520.11	2557.08	2083.78	1806.22	1626.37
80000	7362.98	4022.98	2922.38	2381.47	2064.25	1858.71
90000	8283.36	4525.85	3287.68	2679.15	2322.29	2091.04
100000	9203.73	5028.72	3652.97	2976.84	2580.32	2323.38

18,75%

Montant	NOMBRE D'ANNÉES					
	7	8	9	10	11	12
500	10.73	10.09	9.61	9.25	8.97	8.75
1000	21.46	20.18	19.23	18.50	17.94	17.50
2000	42.92	40.36	38.46	37.01	35.89	35.00
3000	64.38	60.54	57.69	55.51	53.83	52.51
4000	85.84	80.72	76.91	74.02	71.77	70.01
5000	107.30	100.90	96.14	92.52	89.71	87.51
6000	128.76	121.08	115.37	111.02	107.66	105.01
7000	150.22	141.26	134.60	129.53	125.60	122.51
8000	171.68	161.44	153.83	148.03	143.54	140.02
9000	193.14	181.62	173.06	166.54	161.49	157.52
10000	214.60	201.80	192.29	185.04	179.43	175.02
15000	321.90	302.71	288.43	277.56	269.14	262.53
20000	429.19	403.61	384.57	370.08	358.86	350.04
25000	536.49	504.51	480.72	462.60	448.57	437.55
30000	643.79	605.41	576.86	555.12	530.29	525.06
35000	751.09	706.31	673.00	647.64	628.00	612.57
40000	858.39	807.22	769.15	740.17	717.71	700.08
45000	965.69	908.12	865.29	832.69	807.43	787.59
50000	1072.99	1009.02	961.43	925.21	897.14	875.10
60000	1287.58	1210.82	1153.72	1110.25	1076.57	1050.12
70000	1502.18	1412.63	1346.01	1295.29	1256.00	1225.15
80000	1716.78	1614.43	1538.29	1480.33	1435.43	1400.17
90000	1931.37	1816.23	1730.58	1665.37	1614.86	1575.19
100000	2145.97	2018.04	1922.87	1850.41	1794.28	1750.21

Montant	NOMBRE D'ANNÉES					
	1	2	3	4	5	6
500	46.08	25.20	18.33	14.95	12.97	11.69
1000	92.16	50.41	36.66	29.90	25.94	23.38
2000	184.31	100.82	73.31	59.80	51.88	46.75
3000	276.47	151.23	109.97	89.70	77.82	70.13
4000	368.63	201.63	146.62	119.60	103.76	93.51
5000	460.78	252.04	183.28	149.50	129.70	116.88
6000	552.94	302.45	219.94	179.40	155.64	140.26
7000	645.10	352.86	256.59	209.30	181.58	163.64
8000	737.25	403.27	293.25	239.20	207.52	187.01
9000	829.41	453.68	329.90	269.10	233.46	210.39
10000	921.57	504.09	366.56	299.00	259.41	233.77
15000	1382.35	756.13	549.84	448.50	389.11	350.65
20000	1843.13	1008.17	733.12	598.00	518.81	467.53
25000	2303.91	1260.22	916.40	747.50	648.51	584.42
30000	2764.70	1512.26	1099.68	897.00	778.22	701.30
35000	3225.48	1764.30	1282.96	1046.50	907.92	818.19
40000	3686.26	2016.34	1466.24	1196.00	1037.62	935.07
45000	4147.05	2268.39	1649.52	1345.51	1167.32	1051.95
50000	4607.83	2520.43	1832.80	1495.01	1297.03	1168.84
60000	5529.39	3024.52	2199.36	1794.01	1556.43	1402.60
70000	6450.96	3528.60	2565.92	2093.01	1815.84	1636.37
80000	7372.53	4032.69	2932.48	2392.01	2075.24	1870.14
90000	8294.09	4536.78	3299.04	2691.01	2334.65	2103.91
100000	9215.66	5040.86	3665.60	2990.01	2594.06	2337.67

19%

Montant	NOMBRE D'ANNÉES					
	7	8	9	10	11	12
500	10.80	10.17	9.69	9.33	9.06	8.84
1000	21.61	20.33	19.39	18.67	18.11	17.67
2000	43.22	40.67	38.77	37.33	36.22	35.35
3000	64.82	61.00	58.16	56.00	54.33	53.02
4000	86.43	81.34	77.55	74.67	72.44	70.69
5000	108.04	101.67	96.94	93.34	90.55	88.37
6000	129.65	122.00	116.32	112.00	108.66	106.04
7000	151.26	142.34	135.71	130.67	126.77	123.72
8000	172.86	162.67	155.10	149.34	144.88	141.39
9000	194.47	183.00	174.48	168.01	162.99	159.06
10000	216.08	203.34	193.87	186.67	181.10	176.74
15000	324.12	305.01	290.81	280.01	271.65	265.10
20000	432.16	406.68	387.74	373.34	362.21	353.47
25000	540.20	508.35	484.68	466.68	452.76	441.84
30000	648.24	610.02	581.61	560.02	543.31	530.21
35000	756.28	711.69	678.55	653.35	633.86	618.58
40000	864.32	813.35	775.48	746.69	724.41	706.95
45000	972.36	915.02	872.42	840.03	814.96	795.31
50000	1080.40	1016.69	969.35	933.36	905.52	883.68
60000	1296.48	1220.03	1163.22	1120.03	1086.62	1060.42
70000	1512.56	1423.37	1357.10	1306.71	1267.72	1237.16
*80000	1728.64	1626.71	1550.97	1493.38	1448.83	1413.89
90000	1944.72	1830.05	1744.84	1680.05	1629.93	1590.63
100000	2160.80	2033.39	1938.71	1866.72	1811.03	1767.36

19,25%

Montant	NOMBRE D'ANNÉES					
	1	2	3	4	5	6
500	46.14	25.27	18.39	15.02	13.04	11.76
1000	92.28	50.53	36.78	30.03	26.08	23.52
2000	184.55	101.06	73.57	60.06	52.16	47.04
3000	276.83	151.59	110.35	90.10	78.23	70.56
4000	369.10	202.12	147.13	120.13	104.31	94.08
5000	461.38	252.65	183.91	150.16	130.39	117.60
6000	553.66	303.18	220.70	180.19	156.47	141.12
7000	645.93	353.71	257.48	210.23	182.55	164.64
8000	738.21	404.24	294.26	240.26	208.63	188.16
9000	830.48	454.77	331.04	270.29	234.70	211.68
10000	922.76	505.30	367.83	300.32	260.78	235.20
15000	1384.14	757.95	551.74	450.48	391.17	352.80
20000	1845.52	1010.60	735.65	600.64	521.57	470.40
25000	2306.90	1263.25	919.56	750.81	651.96	588.00
30000	2768.28	1515.90	1103.48	900.97	782.35	705.60
35000	3229.66	1768.56	1287.39	1051.13	912.74	823.20
40000	3691.04	2021.21	1471.30	1201.29	1043.13	940.80
45000	4152.42	2273.86	1655.21	1351.45	1173.52	1058.40
50000	4613.80	2526.51	1839.13	1501.61	1303.92	1176.00
60000	5536.56	3031.81	2206.95	1801.93	1564.70	1411.20
70000	6459.32	3537.11	2574.78	2102.25	1825.48	1646.41
80000	7382.07	4042.41	2942.60	2402.58	2086.26	1881.61
90000	8304.83	4547.71	3310.43	2702.90	2347.05	2116.81
100000	9227.59	5053.02	3678.25	3003.22	2607.83	2352.01

19,25%

Montant	NOMBRE D'ANNÉES					
	7	8	9	10	11	12
500	10.88	10.24	9.77	9.42	9.14	8.92
1000	21.76	20.49	19.55	18.83	18.28	17.85
2000	43.51	40.98	39.09	37.66	36.56	35.69
3000	65.27	61.46	58.64	56.49	54.84	53.54
4000	87.03	81.95	78.18	75.32	73.11	71.38
5000	108.78	102.44	97.73	94.15	91.39	89.23
6000	130.54	122.93	117.28	112.99	109.67	107.08
7000	152.30	143.42	136.82	131.82	127.95	124.92
8000	174.05	163.90	156.37	150.65	146.23	142.77
9000	195.81	184.39	175.91	169.48	164.51	160.61
10000	217.57	204.88	195.46	188.31	182.78	178.46
15000	326.35	307.32	293.19	282.46	274.18	267.69
20000	435.14	409.76	390.92	376.62	365.57	356.92
25000	543.92	512.20	488.65	470.77	456.96	446.15
30000	652.70	614.64	586.38	564.93	548.35	535.38
35000	761.49	717.08	684.11	659.08	639.74	624.60
40000	870.27	819.52	781.84	753.24	731.14	713.83
45000	979.06	921.96	879.57	847.39	822.53	803.06
50000	1087.84	1024.39	977.30	941.55	913.92	892.29
60000	1305.41	1229.27	1172.77	1129.86	1096.71	1070.75
70000	1522.98	1434.15	1368.23	1318.17	1279.49	1249.21
80000	1740.55	1639.03	1563.69	1506.47	1462.27	1427.67
90000	1958.11	1843.91	1759.15	1694.78	1645.06	1606.13
100000	2175.68	2048.79	1954.61	1883.09	1827.84	1784.58

19,50%

Montant	NOMBRE D'ANNÉES					
	1	2	3	4	5	6
500	46.20	25.33	18.45	15.08	13.11	11.83
1000	92.40	50.65	36.91	30.16	26.22	23.66
2000	184.79	101.30	73.82	60.33	52.43	47.33
3000	277.19	151.96	110.73	90.49	78.65	70.99
4000	369.58	202.61	147.64	120.66	104.87	94.66
5000	461.98	253.26	184.55	150.82	131.08	118.32
6000	554.37	303.91	221.46	180.99	157.30	141.98
7000	646.77	354.56	258.37	211.15	183.52	165.65
8000	739.16	405.22	295.27	241.32	209.73	189.31
9000	831.56	455.87	332.18	271.48	235.95	212.97
10000	923.95	506.52	369.09	301.65	262.16	236.64
15000	1385.93	759.78	553.64	452.47	393.25	354.96
20000	1847.91	1013.04	738.19	603.29	524.33	473.28
25000	2309.88	1266.30	922.73	754.12	655.41	591.60
30000	2771.86	1519.56	1107.28	904.94	786.49	709.92
35000	3233.84	1772.82	1291.83	1055.76	917.58	828.24
40000	3695.81	2026.08	1476.37	1206.58	1048.66	946.56
45000	4157.79	2279.33	1660.92	1357.41	1179.74	1064.87
50000	4619.77	2532.59	1845.47	1508.23	1310.82	1183.19
60000	5543.72	3039.11	2214.56	1809.88	1572.99	1419.83
70000	6467.68	3545.63	2583.65	2111.52	1835.15	1656.47
80000	7391.63	4052.15	2952.74	2413.17	2097.32	1893.11
90000	8315.58	4558.67	3321.84	2714.81	2359.48	2129.75
100000	9239.54	5065.19	3690.93	3016.46	2621.64	2366.39

Montant	NOMBRE D'ANNÉES					
	7	8	9	10	11	12
500	10.95	10.32	9.85	9.50	9.22	9.01
1000	21.91	20.64	19.71	19.00	18.45	18.02
2000	43.81	41.28	39.41	37.99	36.89	36.04
3000	65.72	61.93	59.12	56.99	55.34	54.06
4000	87.62	82.57	78.82	75.98	73.79	72.07
5000	109.53	103.21	98.53	94.98	92.24	90.09
6000	131.44	123.85	118.23	113.97	110.68	108.11
7000	153.34	144.50	137.94	132.97	129.13	126.13
8000	175.25	165.14	157.65	151.96	147.58	144.15
9000	197.16	185.78	177.35	170.96	166.02	162.17
10000	219.06	206.42	197.06	189.95	184.47	180.19
15000	328.59	309.64	295.58	284.93	276.71	270.28
20000	438.12	412.85	394.11	379.90	368.94	360.37
25000	547.65	516.06	492.64	474.88	461.18	450.47
30000	657.18	619.27	591.17	560.86	553.41	540.56
35000	766.71	722.49	689.70	664.83	645.65	630.65
40000	876.24	825.70	788.23	759.81	737.89	720.75
45000	985.78	928.91	886.75	854.78	830.12	810.84
50000	1095.31	1032.12	985.28	949.76	922.36	900.93
60000	1314.37	1238.55	1182.34	1139.71	1106.83	1081.12
70000	1533.43	1444.97	1379.40	1329.67	1291.30	1261.31
80000	1752.49	1651.40	1576.45	1519.62	1475.77	1441.49
90000	1971.55	1857.82	1773.51	1709.57	1660.24	1621.68
100000	2190.61	2064.25	1970.57	1899.52	1844.71	1801.86

19,75%

Montant	NOMBRE D'ANNÉES					
	1	2	3	4	5	6
500	46.26	25.39	18.52	15.15	13.18	11.90
1000	92.51	50.77	37.04	30.30	26.35	23.81
2000	185.03	101.55	74.07	60.59	52.71	47.62
3000	277.54	152.32	111.11	90.89	79.06	71.42
4000	370.06	203.10	148.15	121.19	105.42	95.23
5000	462.57	253.87	185.18	151.49	131.77	119.04
6000	555.09	304.64	222.22	181.78	158.13	142.85
7000	647.60	355.42	259.25	212.08	184.48	166.66
8000	740.12	406.19	296.29	242.38	210.84	190.47
9000	832.63	456.96	333.33	272.68	237.19	214.27
10000	925.15	507.74	370.36	302.97	263.55	238.08
15000	1387.72	761.61	555.54	454.46	395.32	357.12
20000	1850.30	1015.48	740.73	605.95	527.10	476.16
25000	2312.87	1269.34	925.91	757.43	658.87	595.20
30000	2775.45	1523.21	1111.09	908.92	790.65	714.24
35000	3238.02	1777.08	1296.27	1060.41	922.42	833.28
40000	3700.60	2030.95	1481.45	1211.89	1054.20	952.33
45000	4163.17	2284.82	1666.63	1363.38	1185.97	1071.37
50000	4625.74	2538.69	1851.82	1514.87	1317.75	1190.41
60000	5550.89	3046.43	2222.18	1817.84	1581.30	1428.49
70000	6476.04	3554.16	2592.54	2120.81	1844.85	1666.57
80000	7401.19	4061.90	2962.91	2423.79	2108.40	1904.65
90000	8326.34	4569.64	3333.27	2726.76	2371.95	2142.73
100000	9251.49	5077.38	3703.63	3029.73	2635.50	2380.81

19,75%

Montant	NOMBRE D'ANNÉES					
	7	8	9	10	11	12
500	11.03	10.40	9.93	9.58	9.31	9.10
1000	22.06	20.80	19.87	19.16	18.62	18.19
2000	44.11	41.60	39.73	38.32	37.23	36.38
3000	66.17	62.39	59.60	57.48	55.85	54.58
4000	88.22	83.19	79.46	76.64	74.47	72.77
5000	110.28	103.99	99.33	95.80	93.08	90.96
6000	132.34	124.79	119.19	114.96	111.70	109.15
7000	154.39	145.58	139.06	134.12	130.32	127.34
8000	176.45	166.38	158.93	153.28	148.93	145.54
9000	198.50	187.18	178.79	172.44	167.55	163.73
10000	220.56	207.98	198.66	191.60	186.16	181.92
15000	330.84	311.96	297.99	287.40	279.25	272.88
20000	441.12	415.95	397.32	383.20	372.33	363.84
25000	551.40	519.94	496.64	479.00	465.41	454.80
30000	661.68	623.93	595.97	574.80	558.49	545.76
35000	771.96	727.91	695.30	670.60	651.58	636.72
40000	882.24	831.90	794.63	766.40	744.66	727.68
45000	992.52	935.89	893.96	862.20	837.74	818.64
50000	1102.80	1039.88	993.29	958.01	930.82	909.60
60000	1323.35	1247.85	1191.95	1149.61	1116.99	1091.52
70000	1543.91	1455.83	1390.61	1341.21	1303.15	1273.44
80000	1764.47	1663.81	1589.26	1532.81	1489.31	1455.37
90000	1985.03	1871.78	1787.92	1724.41	1675.48	1637.29
100000	2205.59	2079.76	1986.58	1916.01	1861.64	1819.21

20%

Montant	NOMBRE D'ANNÉES					
	1	2	3	4	5	6
500	46.32	25.45	18.58	15.22	13.25	11.98
1000	92.63	50.90	37.16	30.43	26.49	23.95
2000	185.27	101.79	74.33	60.86	52.99	47.91
3000	277.90	152.69	111.49	91.29	79.48	71.86
4000	370.54	203.58	148.65	121.72	105.98	95.81
5000	463.17	254.48	185.82	152.15	132.47	119.76
6000	555.81	305.37	222.98	182.58	158.96	143.72
7000	648.44	356.27	260.15	213.01	185.46	167.67
8000	741.08	407.17	297.31	243.44	211.95	191.62
9000	833.71	458.06	334.47	273.87	238.44	215.58
10000	926.35	508.96	371.64	304.30	264.94	239.53
15000	1389.52	763.44	557.45	456.46	397.41	359.29
20000	1852.69	1017.92	743.27	608.61	529.88	479.06
25000	2315.86	1272.40	929.09	760.76	662.35	598.82
30000	2779.04	1526.87	1114.91	912.91	794.82	718.58
35000	3242.21	1781.35	1300.73	1065.06	927.29	838.35
40000	3705.38	2035.83	1486.54	1217.21	1059.76	958.11
45000	4168.55	2290.31	1672.36	1369.37	1192.22	1077.88
50000	4631.73	2544.79	1858.18	1521.52	1324.69	1197.64
60000	5558.07	3053.75	2229.82	1825.82	1589.63	1437.17
70000	6484.42	3562.71	2601.45	2130.13	1854.57	1676.70
80000	7410.76	4071.66	2973.09	2434.43	2119.51	1916.23
90000	8337.11	4580.62	3344.72	2738.73	2384.45	2155.75
100000	9263.45	5089.58	3716.36	3043.04	2649.39	2395.28

20%

Montant	NOMBRE D'ANNÉES					
	7	8	9	10	11	12
500	11.10	10.48	10.01	9.66	9.39	9.18
1000	22.21	20.95	20.03	19.33	18.79	18.37
2000	44.41	41.91	40.05	38.65	37.57	36.73
3000	66.62	62.86	60.08	57.98	56.36	55.10
4000	88.82	83.81	80.11	77.30	75.15	73.46
5000	111.03	104.77	100.13	96.63	93.93	91.83
6000	133.24	125.72	120.16	115.95	112.72	110.20
7000	155.44	146.67	140.19	135.28	131.50	128.56
8000	177.65	167.63	160.21	154.60	150.29	146.93
9000	199.86	188.58	180.24	173.93	169.08	165.29
10000	222.06	209.53	200.27	193.26	187.86	183.66
15000	333.09	314.30	300.40	289.88	281.80	275.49
20000	444.12	419.06	400.53	386.51	375.73	367.32
25000	555.15	523.83	500.66	483.14	469.66	459.15
30000	666.19	620.60	600.80	570.77	563.59	550.98
35000	777.22	733.36	700.93	676.39	657.52	642.81
40000	888.25	838.13	801.06	773.02	751.45	734.64
45000	999.28	942.89	901.19	869.65	845.39	826.47
50000	1110.31	1047.66	1001.33	966.28	939.32	918.30
60000	1332.37	1257.19	1201.59	1159.53	1127.18	1101.97
70000	1554.43	1466.72	1401.86	1352.79	1315.04	1285.63
80000	1776.50	1676.26	1602.12	1546.05	1502.91	1469.29
90000	1998.56	1885.79	1802.39	1739.30	1690.77	1652.95
100000	2220.62	2095.32	2002.65	1932.56	1878.63	1836.61